アフターコロナのニュービジネス大全

新しい
生活様式
×
世界15カ国の
先進事例

原田曜平
小祝誉士夫

Discover

PROLOGUE

コロナで露見した「変われない」日本

2020年は、全人類が共通の“敵”に直面し、立ち向かわざるを得なくなった年として、歴史に刻まれることになった。その敵とは言うまでもなく、「新型コロナウイルス（COVID-19）」だ。コロナと共に生きる時代となり、生活もビジネスも社会も、環境や状況が激変した。ただし、以前と異なる風景にはなったものの、世界がコロナという敵に完全に抑え込まれ、沈黙していたわけではない。コロナ禍に苦しみながらも、企業、社会、国家は、そのような厳しい状況に適応しようとする中で、一つ上のステージにアップグレードしたというのが正しい見方だろう。

だが、足元の日本を見た場合、こうして一変した環境や状況に際して、大きな意識改革や行動変容が起こったといえるだろうか。誤解を恐れずにいえば、根本的には“何も変わっていない”というのが、筆者である小祝誉士夫と原田曜平の見方だ。

コロナ禍によって普及が加速したとされるテレワークでさえ、実際のところは、道半ばどころか急ブレーキがかかり、後退の兆しが顕著だ。確かに、2020年の最初の緊急事態宣言の際には、政府の要請に従って全面的に導入する企業が急増した。だが、解除後は元の木阿弥となり、一部の大企業や先進的な企業を除き、大半が以前のような会社への通勤が日常となってしまった。2021年になり、2回目、3回目の緊急事態宣言が発令され、政府や自治体がいくら「出勤7割減」を訴えても、通勤の混雑はさして変わらない。問題は、会社がオフィスワークを強いていることではなく、働いている当人たちが、会社に行って働くほうが「楽」だと考えてしまっていることだ。オンライン会議、オンライン営業よりも、実際に会ってフェイストゥフェイスで話したほうが「効率的」とさえ思っている。

2020年7月、野村総合研究所がアジアや欧米の主要8カ国の生活者にテレワーク利用のアンケートをとったところ、日本でコロナ以前からテレワークをしていた人は全体の9%で、コロナ後にテレワークを始めた人（22%）と合わせて31%となっている。一方、世界はといえば、中国は75%（前35%、後40%）、米国61%（前32%、後29%）など、日本の倍近くか、それ以上の国が大半だ。調査によっては、日本のテレワーク率は2割で、全面的にテレワークを行っている人は5%に過ぎないというデータもある。定性的にも、定量的にも、日本は圧倒的なテレワーク後進国なのである。

ただし、筆者は何も、日本でテレワークの導入が遅れている側面をことさら強調したいわけではない。問題は、日本人は、世界でも稀な「変わることが苦手な民族」であるということだ。テレワークは、働き方改革の側面からその導入の必要性が以前から言われてきた。世界的には中国や欧米で合理的な判断から利用率が高まった。言うまでもなく、テレワークで物理的な移動がないほうが、生産性が高いからだ。

だが、生産性に対する意識が低い日本では、掛け声倒れで遅々として進まなかった。コロナを契機に導入が加速したかに見えたが、「対面でないと仕事はできない」「部下を目の見える範囲の監督下に置きたい」などの理由から、多くのビジネスパーソンが出社し、コロナ以前の通勤ラッシュが復活してしまった。

テレワークだけではない。同じように「変われない」日本は、社会のありとあらゆるシーンで顕在化している。人々の生活でも、ビジネスでも、政治の世界でも、変化は軽微かつ表層的であり、コロナが猛威を振るっている間は、いつ終わるかわからない災厄が通り過ぎるのをひたすら黙して待つ。残念ながらそれが日本人の気質のようだ。

アフターコロナ、ニューノーマルといったキーワードが世間を賑わしている。ただ、そうした新しい世界に対応するビジネス、あるいは生活を本気で模索し、構築しようとしている人は、ほんのひと握りに過ぎないのが実態だ。その証拠に、ビジネスパーソンや飲食店の経営者が口にするのは、「早くコロナが終わってほしい」という神頼みだけで、次の時代をにらみ、動こうとする人は残念ながら少ない。

それどころか、停滞する国内では妙手は見られない、打ち手を探すには海外しかないと、積極的に世界の先進事例を情報収集して少しでも打開の筋道を探るような動きさえもほとんど見られず、世の中はまさに悲観一色である。アフターコロナを見据える動きは鈍く、大半の日本人の願いはただ一つ、ビフォアコロナに戻ることだ。もう時計の針を巻き戻すことはできないのに、心のどこかでそう願い、息をひそめてじっと耐えている。

世界ではアイデアフルなビジネスが続々と生まれていた

一方、世界はどう動いたか。

小祝が代表取締役社長を務め、海外リサーチ、マーケティング、PR業務を展開するTNCでは、海外70カ国100地域に長期滞在する600人の日本人女性をリサーチャーとし、現地のライフスタイルやトレンドをリポートするサービス「ライフスタイル・リサーチャー®」を運営している。そのTNCの海外ネットワークをフル活用し、2020年3月から12月までの10カ月間、調査対象15カ国およそ200事例以上という世界の動向を調べた結果、興味深い事実が浮き彫りになった。日本以上に厳しい感染状況となり、ロックダウンも行われた都市も少なくない中、コロナ禍に対応し、アフターコロナも見据えたアイデア溢れるビジネスや生活スタイル、新しい試みが、世界各国で続々と産声を上げていたのだ。

特に筆者が注目したのが、デンマーク、中国、タイの3カ国において、コロナという非常事態の中で、新たなビジネスや社会変革の動きが、顕著に見られたことだ。

北欧はコロナ禍の前からテレワークなど働き方改革を積極的に推し進め、男女平等ランキングでも、SDGs達成度ランキングでも、毎年上位を独占しているエリア。その中でもデンマークは、時代の先を行くさまざまな新施策に挑戦し続けている筆頭国の一つだ。今回のコロナ禍でも、そうした国の姿勢や国民性をバネに、新規の取り組みやビジネスが数多く登場した。

中国は、デジタル先進国としてテクノロジーを取り入れた施策を、国が主導したり、民間が驚くほどの速さで展開させたりしながら、巨大な国内マーケットで一気に広げていく唯一無二のアプローチが持ち味。コロナ禍でも、実験的な試みも含めて次々と新たなチャレンジがなされ、ニューノーマルなビジネスや生活スタイルとして浸透させることに成功した。

タイは、大半が仏教徒であり、「徳を積む」という意識が高い国民性から、コロナ禍では、生活が困窮する人に食料などをおすそ分けしたり、困ったときはお互い様と助け合う活動が一気に広がった。そうした相互扶助の精神は、まるで古き良き時代の日本を見ているようだ。デンマークでも、ローカル（ご近所や隣人の意味）を大切にして、互いのつながりを大事にするヒューマンタッチな活動が目立った。日本ではこうした“ソーシャルグッド”な取り組みや活動は、もちろん一部では助け合う場面も見られたが、散発的に終わり、社会全体のムーブメントになったとは言い難い。

コロナによって変わってしまった社会に対し、世界は自分たちを変えることによって適応しようとしている。しかし、日本は、変わることを拒み、嵐が過ぎ去るのをひたすら待っているのである。

日本人はピンチを「我慢」してやり過ごす
世界は「楽しむ」を優先してチャンスに変える

では、なぜ日本人は「何もしない」ことを選んでしまっているのか。変わることを良しとしない前例主義のメンタリティに加え、政府や自治体の長、あるいはニュース番組のキャスターが再三口にしているあの言葉こそが、日本人の行動を呪縛してしまっている。それが「我慢」の二文字だ。

私たち日本人はコロナ禍で、「今はとにかく我慢してください」と言われ続けてきた。我慢は一見美徳のように思われがちだが、実は、打開策を見出したり、新しい挑戦をしたりする気持ちを奪い、思考停止に陥れる危険な言葉でもある。「我慢を」と言われてしまえば、前進をあきらめて停滞を選び、何もしない日々を過ごすことになりかねない。

だが、海外の国々は違う。制限された生活や社会の中でも、「何かできないか」「どうすれば苦境を乗り越えられるか」と前向きにとらえ、新しいアイデアが浮かんだら、ひとまずやってみる。厳しい状況の中でも、決して停滞を選ばず、前進すること、変わることを選択している。その選択ができるのは、「危機の中でも楽しみを見出そう」とする“エンジョイ”の精神が備わっているからだ。コロナ禍の日本で「楽しもう」と言ったら不謹慎に思われるのが落ちだ。しかし、日本以外の国では、「我慢」ではなく「楽しむ」ことを優先する。だからこそ、クリエイティブなアイデアが生まれる。

そうして生まれるアイデアの中から、次の時代のビジネスにつながる種も出てくる。つまり、「ピンチはチャンス」と言われるように、追い詰められた状況だからこそ、知恵を振り絞ることで、従来では考えつかなかったような革新的なビジネスがひねり出され、それがネクストスタンダードに育っていくのだ。

もう一度言うが、「我慢」の二文字でチャンスの芽を摘んでしまっているのが今の日本の現状であり、日本人自身の現実だ。世界はコロナをチャンスに変えてビジネスも生活もアップデートしているのに、日本だけが時計の針を止めてしまっている。その結果、ウィズコロナだけでなく、アフターコロナでもビジネスも社会も国も周回遅れとなりかねない。数年後に気づいたときにはもう遅い。その差は巻き返しが困難なほど、大きく広がってしまっていることに私たちは気づかされるだろう。

日本は周回遅れだが“手遅れ”ではない
「海外」×「若者」が突破口になる

では、もう手遅れかといえば、そうではない。コロナがまだ収束していない今のうちであれば、リードを縮め、追いつき、追い越すことも不可能ではない。そのためにも今、日本人に必要なのは、「我慢」をやめることだ。代わりに、コロナ禍において世界で何が行われたのか、あるいは、今何が行われているのかを知り、そうした数々の先行事例をヒントに、ビジネスや生活、社会構造をアップデートする道を探ろうではないか。

日本人はゼロからクリエイトすることは不得手かもしれない。だが、海外の事例を参考に、アレンジしたり、より研ぎ澄まされたかたちに作り替えることは、歴史を振り返っても非常に得意な民族だ。その特質を発揮すれば、コロナ後のニューノーマルで、ものによってはビジネスの主導権を握ることも可能かもしれない。我慢をしている場合ではない。今こそが、私たちが自分たちの限界を乗り越え、従来の“日本人以上”になるラストチャンスだ。

そして、そのラストチャンスをつかむための鍵が、コロナ禍での世界の先進事例を集めた本書だ。本書で紹介する数々の事例は、前述した世界各国のライフスタイル・リサーチャー®が総力を挙げて情報をかき集め、その中から今後のビジネスを考えるうえで特に有効と思われるものを厳選している。

さらに、単なる事例紹介にとどまらず、そのトレンドがヒットした理由を分析すると同時に、「例えば日本でビジネスを展開するとしたらどういう方法が考えられるか」という問いに対し、具体的なアプローチを提案することに紙面を割いているのが特徴だ。いわゆる「事例を挙げるので、後は自分たちで考えてください」と突き放すような単なる事例集とは一線を画している。その提案をヒントに、明日からでもすぐにビジネスや新しい生活スタイルを企画し、実行に移せる実践性の高さがポイントとなっている。

そうやって日本でのビジネスに落とし込む際に、非常に役立つのが、原田がライフワークとして取り組み、国内では第一人者となっている「若者研究」の視点だ。原田は「さとり世代」「マイルドヤンキー」などの言葉を生みだし、最近では「Z世代」研究を行うなど、長年、若者研究及び若者を対象としたマーケティング活動に力を注いでいる。共著者である小祝とは10年ほど前から海外の「ミレニアル世代・Z世代」の研究を共同で行っている。共に世界各国へ足を運び、現地の若者たちへの家庭訪問調査などを大量に実施。各国の若者から最先端のニーズやインサイトを抽出し、さまざまな企業のマーケティング施策に活用してきた。

こうして培った若者研究の視点がなぜ役に立つのかといえば、若者こそが、他の年齢層の日本人が持ち合わせていない「海外的な考え方や行動」ができる世代であるからだ。彼らはデジタルネイティブであり、スマホとSNSを片時も離さず育ってきた世代であり、海外から情報を積極的に仕入れ、素直に受け止め、実践する柔軟性を持ち合わせている。こうした特異性がコロナ禍でも活きている。

例えば、日本の10～20代の若者は、コロナ禍でストレスを抱え、精神的にまいっているという報道をよく目にする。だが、もう一つの側面として、「我慢」するだけを良しとせず、SNSを駆使して海外の情報を得て、それらの実践によって、コロナ禍でも生活を楽しむことに積極的にチャレンジしてきた。すなわち、「我慢」より「楽しむこと」を優先する点で、日本以外の世界各国の人々の“エンジョイ”の姿勢や考え方に限りなく近いマインドを持っているのが若者世代というわけだ。

日本が幸せをつかむ鍵は「脱アメリカ一辺倒」悲観を希望に変え、従来の日本人を超えてゆけ

その若者たちがコロナ禍で何を考え、どのように過ごしてきたかという分析を加えることは、これから日本のマーケットで新しいビジネスを考えていくうえで、非常に有意義なアプローチとなる。つまり、若者を手本に、日本人が苦手とする「ピンチをチャンスに変える」思考のコツやヒントをものにするという発想だ。こうして、海外の事例と国内の若者の事例を掛け合わせることで、今後、日本で受け入れられそうなビジネスの輪郭が、よりくっきりと見えてくるのである。海外のリサーチやマーケティングに詳しい小祝と、若者のトレンドや分析に長けている原田が組んで、ウィズコロナからアフターコロナに向かう中で、事例を分析し、新規のビジネスアイデアを提案することの意味がここにある。

振り返れば、日本は何でもかんでも米国の先行事例だけを追い続け、それを国内に輸入して展開するタイムマシンビジネス

を頼りに、新たな領域を切り拓いてきた。しかし、それが果たして正しかったのか。そうやって米国ばかりを模倣してきた日本が、いったいなぜ毎年発表される世界幸福度ランキングが主要先進国の中で断トツのビリなのかについても改めて考える契機としたい。世界にはアメリカ以外に、ヨーロッパにも、近くのアジアにも、参考にしたい"背中"がたくさんある。2021年の幸福度ランキングの1位はフィンランド、2位はデンマークだ。米国追従一辺倒をやめることで、日本の未来がひらける可能性もある。今回の本に世界のさまざまな事例をちりばめたのには、その問題提起と新たな道を提示する意味合いも含めている。

最後に、本書の構成について簡単に触れておきたい。本書は事例のジャンル別に、以下の7章で構成されている。

- 物理的な距離を超えてオンラインで
  全てがつながっていく事例を示した
  「Beyond DISTANCE」
- 新しい買い物のかたちを提示する
  「Beyond SHOPPING」
- 従来の娯楽のあり方を一変させる
  「Beyond ENTERTAINMENT」
- 贅沢の概念が根本から変わっていく
  「Beyond LUXURY」
- データを活用してニューノーマルな時代を切り拓く

「Beyond DATA」
- 企業活動をアップグレードさせる
「Beyond COMPANY」
- 地域や地元をネクストステージに昇華させる
「Beyond LOCAL」

各章ごとに各国の先進的な取り組み、ヒットの要因分析を行うとともに、それをベースにして日本で展開する場合はどう考えるべきかという提案も行っている。

それぞれのジャンルの枕詞に「Beyond」とつけたのは、コロナによって変わり、さらに新しく生まれ変わりつつあるビジネスや社会に向け、DISTANCE（距離）やLUXURY（贅沢・豪華）といった概念も、SHOPPING（買い物）もENTERTAINMENT（娯楽）、DATA（情報）、COMPANY（企業）、LOCAL（地元）などの領域も、従来の枠をビヨンドして（＝超えて）、新たな発想で考えていかなければ太刀打ちできないという、筆者の危機感と思いを込めたものだ。

読者の方々は、自分のビジネスや生活が関係するジャンルから読んでいただいて構わない。あるいは、興味のある事例だけを読むスタイルでも全く問題はない。筆者の願いは、こうした事例や提案をヒントにして、悲観に代わって、日本から未来の希望につながるビジネスや取り組みが、次々と生まれてくることだ。

なかなか変われない、日本の政府や企業、ビジネスパーソン、生活者。小祝と原田が、それぞれで、あるいは二人でこれまで行ってきた世界各国のマーケティングや若者の研究をベースに構築した本書が、少しでも役に立ち、"Beyond JAPANESE"、すなわち今までの日本人を超えて、変わるきっかけになるのであれば、それこそが私たち筆者の本望である。

CONTENTS

Beyond DISTANCE
距離を超える

PART 2 Beyond SHOPPING 新しい購買体験

PART 3 Beyond ENTERTAINMENT
新しい娯楽のあり方

Beyond LUXURY
贅沢の概念が変わる

Beyond DATA
時代を拓くデータ活用

Beyond COMPANY
企業活動をアップグレード

Beyond LOCAL
地域はネクストステージへ

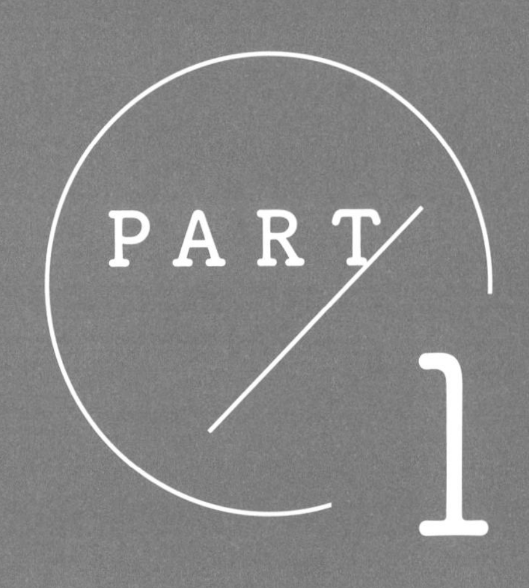

Beyond DISTANCE

距離を超える

コロナ禍で大きく変わったのが、感染拡大防止のため移動が制限されたこと。そうした中、世界の人々の間で同時多発的に始まったのが、あらゆるヒト・モノ・サービスをオンラインでつなぐことだ。もはや移動は不要。人は物理的な距離を超え、すべてのことを自室の〝画面〟でできる術を手に入れたのだ。

TOPIC 01

VRオンライン会議

Before

会議室に集まって
話し合い

After

VRオンライン会議に
進化

COUNTRY

米国　など

現象　VR化するオフィスワーク

新型コロナウイルスの影響で、全世界的に外出禁止や外出自粛となり、利用者が急増したのが、Zoomなどのウェブ会議システムを使ったオンラインの会議や講習、セミナーだ。TeamsやSlackなどのビジネスチャットツールも普及し、国内外で同時多発的に仕事のオンライン化が加速した。

そうした中、次のステップとしていち早く導入が検討され始めているのが、オフィスワークの"VR化"だ。VRヘッドセットを使い、仮想空間上でオフィスの環境を再現し、よりリアルに近いコミュニケーションを可能にするサービスが続々と登場している。VRの利点は、同じ空間にいる感覚が強くなり、身振り手振りなどで参加者の感情や意図が伝わることだ。

例えば「Meetin VR」は、仮想空間内で同僚と共同作業を行えるプラットフォームだ。VRヘッドセットを装着して仮想のオフィスに"出社"し、自身を模したデジタルアバターを通じ

出所:Meetin VRプレスリリース

て、打ち合わせ、ブレインストーミング、マインドマッピング、プレゼンテーションなどの仕事が行える。さらに、3Dペンで空間に文字を書いたり、付箋を貼ったりする動作も可能だ。

VRのアバターは見た目が簡素化されすぎてしまい、現実感が持てないのが課題だったが、Facebookは鏡に映し出されたようなアバターを開発中。見た目、動き、喋り方を自分と瓜二つにできるため、よりリアルなコミュニケーションが可能になる。また同社では、VRセットをかぶり、仮想ディスプレイとキーボードで、まるでオフィスのデスクにいるように仕事ができる「Infinite Office」の開発に力を注ぐ。日本でもNTTデータが社員の一人ひとりの顔写真を合成したアバターを用い、仮想空間を自由に動き回りオフィスワークを可能にするVRシステムを開発中だ。

分析　コロナ収束後も効率化志向は不可逆

オンライン会議であれば物理的な移動や集合が不要になり、圧倒的な時間の効率化が図れる。さらにVR化で環境がリアルと同等になれば、コロナ収束後も会議はオンラインが中心となる。VRの場合、VRヘッドセットを購入するハードルが高かったのだが、実は、そのヘッドセットの低価格化が進んでいることも追い風となる。機能を向上させた「Oculus Quest2」が4万円を切る価格帯まで下がっているのだ。主にエンターテインメント分野で先行していたVRヘッドセットが、ついにビジネスでの普段使いに活用される素地は整いつつある。

ここにビジネスチャンス！

VRは渋谷を中心に複数のゲーム施設が開業し、バーチャルアイドルがVR握手会を開催するなど、エンタメ業界で先行していたが、今後はビジネスにも波及する可能性が出てきた。オフィス仕事がVR化されると、今までのオンライン化からさらに一歩進んだ“ネオオフィスワーク”が実現することになる。

Zoomはビデオをオンにして顔出しした場合、リアル以上の緊張感が伴うことを負担に感じている利用者は多い。女性であれば自宅にいながらわざわざ化粧をしなければならず、面倒でもある。音声だけのSNS「Clubhouse」が瞬間的にヒットしたのは、そうした「Zoom疲れ」「アンチZoom」の裏返しだ。VRでアバターによる会議が実現すれば、顔出しが不要でよりリラックスして利用でき、オンラインワークがより普及し、地方移住が増えた際の切り札にもなり得る。

一方、VR化が進むことで、対面での会合はよりプレミアムな位置づけになっていく。つまり、オンラインあるいはVRで仕事をこなすことが日常となり、重要な面談、交渉、商談などは顔を突き合わせて行う。このコミュニケーションの使い分けが、ビジネスパーソンの常識となる。今後は、こうしたネオオフィスワークを支援するサービスが、日本でも有望となるだろう。

TOPIC 02

新出会い系サービス

Before

お見合いパーティーで
相手探し

After

新しい出会いは
オンラインから

COUNTRY

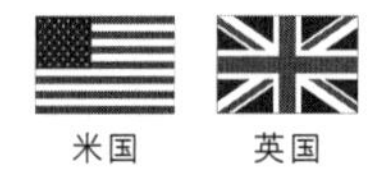

現象　外出が減っても出会いは増える?!

コロナ下では外出自粛で未知の人と出会う機会が極端に減ったが、それを補うように人気を博したのが、初対面をオンラインで行う出会いの新しい形だ。特に欧米のサービスは一歩先を行く。

例えば、米国の「OKZOOMER」は、自宅待機中でも新しい出会いが見つかる大学生限定のマッチングサービス。アメリカの認定大学に在籍中で、大学アカウントのメールアドレスを持っていれば誰でも参加できる。デート相手を見つけられたユーザーは84%に上り、友人を作ったユーザーが47%、自分のネットワークを広げたユーザーが10%と実績も出ている。

また、英国発の恋活アプリ「Hinge」が提案するのは「Date from home」、つまり"自宅でデート"だ。登録者のうちプロフィールを見て気になる人がいればメッセージを送り、互いに同意すれば、FaceTimeやZoom、Skype、Google Meetなどテレビ電話にステップアップして、「動画デート」に発展する。

一人暮らしの生活者向けに、ふと人と話したいときに世界の誰かとランダムでつながることができるサービスが「Quarantine Chat」(検疫・隔離チャットの意)。ウェブサイトで自分の電話番号を登録後、ボイスチャット専用のアプリ「Dialup」をスマートフォンにダウンロードすると、ランダムに話し相手を見つけてくれて、音声通話だけで誰かとつながる仕組みだ。通話はアプリを介してインターネット経由で行われるため、世界中の相手と無料で話すことができる。

分析 ポイントは「安心感」「安全性」

「OKZOOMER」は大学生に限定している点がユニークであり、フィルターがかかることで、利用者も一定の安心感を持って参加できる。「Hinge」はプロフィールが公開され、双方の同意が必要な点などによって、出会い系アプリとしてのある程度の安全性が担保されていることが特徴だ。「Dialup」はビデオ会議が続き、画面越しに対面することに疲れている人に支持された。音声のため自分の姿を見られる心配もない。オンラインでの出会いは、ある程度の安心感や安全性があるサービスが伸長した。

ここにビジネスチャンス！

日本でも「Pairs」や「tapple」などの恋活・婚活アプリで、ビデオチャットなどを通じてデートを楽しむ「オンラインデート」の人気が加速した。一方、婚活サービス大手のIBJは、Zoomを使った「オンラインお見合い」を2020年3月から開始。同社のシステムにプロフィールを登録している会員に「オンラインお見合い」の可否を問う項目を設け、双方合意のうえで行う仕組みだ。自宅でリラックスし、互いの話に集中できることなどから、次のステップである「仮交際」に進む確率が50％と、リアルの30％より高く、オンラインのほうが好成績になるという結果もある。オンラインデートやオンラインお見合いは、若者を中心に一つの選択肢として「当たり前」になりつつある。

今後、ビジネスとして有望なのは、「OKZOOMER」のように大学生に限定したり、「Dialup」のように音声だけにするなど、特化型のオンラインデートサービスだ。学生限定以外でも、医者限定、スポーツ選手限定、アーティスト限定、LGBT限定など、やりようはいくらでもある。

また、米国ではオンラインデートの作法や励まし、モチベーション維持を動画や電話で指南するデートコーチサービスが人気だ。日本でもオンラインに特化したデートコーチサービスはビジネスになり得る。

一方、日本の若者の間でも出会いについて「安心感」を求める傾向が強くなっている。例えば、音声SNSのClubhouseは、自分の姿を画面上にさらすことがない安心感が流行のポイントとなった。親友や恋人同士で自分の空き時間情報をシェアできるカレンダーアプリ「FRIDAYS」は、限られた人だけと予定を共有でき、親友や恋人といえども知られたくない予定は非公開設定が可能など、安心して使える点が人気につながった。「ノミニコ」は今飲みに行きたいと思った瞬間に、Twitterで相互フォローしている友人を一斉に誘ってマッチングできるアプリ。これも安心できる人のみを効率的に誘えることが受けた理由だ。出会い系のさまざまなサービスも、「安心感」を付加することで、若者を中心に大きな支持を得られる可能性が高い。

TOPIC
03

バーチャル
冠婚葬祭

Before

葬儀会場で参列

After

ログインして
故人をしのぶ

COUNTRY

米国

インドネシア

スペイン

現象　礼拝もオンライン化、伝統にも変化

欧米では国民の約75%がキリスト教信者で、コロナ禍では毎週日曜日に家族で教会に通っていた人々向けに、教会の礼拝や洗礼式もオンライン配信に切り替える例が続出した。2020年4月に行われたイースター（復活祭）では、通常、教会に集まり大人数で集団礼拝を行うが、YouTubeで多くの動画が配信され、自宅から各自が祈りを捧げる動きが目立った。また、イスラム教が国民の約9割を占めるインドネシアで、1割足らずのキリスト教徒の日曜礼拝においてオンラインストリーミング配信が活用された。

結婚式や葬式などのイベントも次々とオンライン化されている。米国では、葬儀に参加できない家族に、Zoom配信やFacebookのライブストリーミングで生配信するサービスも行われるようになっている。

スペインの注目株は無料アプリ「ETERNIFY」だ。アプリ上で家族が故人の特設ページを作り、友人や親族にチャットアプリ「WhatsApp」やメールでリンクを送信。スマホでログインすると、故人への別れのメッセージを投稿し、思い出の写真をアップロードすることができる。火葬の日時などのスケジュール共有も可能だ。アプリでメッセージや写真をあらかじめ集め、火葬の日にオンラインでアクセスした人たちに紹介したり、相互にやり取りして故人をしのぶこともできる。こうしたサービスは全て無料だ。

分析　感染拡大が深刻な国で一層促進

海外は、日本よりコロナの感染拡大が深刻な状況だった。厳しい外出禁止措置などがとられたため、集まっての礼拝や葬儀を行うことができず、オンライン化が日本より促進された。また、普段なら参加しづらい遠方の人、高齢者、体が不自由な人も“擬似参列”することができ、便利さもあいまって広まった。

ここにビジネスチャンス！

日本では一部の葬儀業者がリアルで行う葬式の追加オプションとしてオンラインサービスを提供し、参列できない人の弔電や供花、クレジット払いの香典に対応しているが、まだ利用はそれほど進んでいない。世界で最も高齢化している日本では、高齢者が多く参加する行事である葬儀こそより新しいアイディアが必要とされる場だ。

有効なビジネスの一つは、「ETERNIFY」のようなオープンなプラットフォームの展開だ。同様のアプリを日本でも立ち上げれば、リアルの場で葬式を行いたくない人、参加したくても体の自由が利かない高齢者のニーズを捉え、利用が進む可能性は十分にある。集まった写真をアルバムにする有料サービスなどを提供するのも手だ。

TOPIC 04

参加チョイス型
オンライン飲み会

Before

仲間と
居酒屋に集合

After

参加したい飲み会を
選んでタップ

COUNTRY

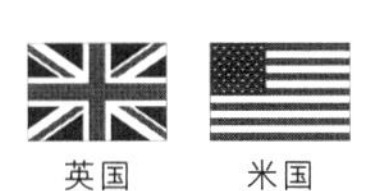

英国　米国

現象　アプリを利用してオンライン飲み会

通常であれば仕事帰りに馴染みのパブでビールを飲んで盛り上がるロンドンっ子たちの間で爆発的に人気を得たのが、オンライン飲み会ができるスマホアプリ「Houseparty」だ。一番の特徴がFacebookと連携していること。友人同士で開いている飲み会に、参加者とつながりのある友人も参加できる。URLを設定して送る手間が一切なく、まるで飲み屋をのぞく感覚で、アプリ上で見つけた飲み会をタップするだけで簡単に参加可能だ。

元々は、最大8名とライブの画面を通じておしゃべりできるビデオチャットアプリ。友人とのカジュアルでプライベートな用途に特化しているため、家飲みアプリとして需要を得た。

2016年にローンチ後、10代を中心に一時期話題をさらったが、その後利用が激減。19年、フォートナイトで有名なエピックゲームスに買収された。だが、コロナ禍で息を吹き返し、20年3月末には200万回のダウンロードを達成するなどユーザーが急増。英国のiOSストアでは1位を記録するほど人気を集めた。

分析　顔ぶれを確認して手軽に参加可能

Zoomのように URLの送付が不要で、開催中の飲み会を見て気軽にタップして参加可能。誰が主催者で誰が参加しているかも表示されており、知り合いが多かったり、気乗りする飲み会かどうか確認してから飛び入りできる点もヒットの要因だ。次々とスワイプして違う飲み会に参加することもでき、無料登録でも時間制限もない。米英では、Zoom飲みよりも人気を得てユーザーが拡大した。

ここにビジネスチャンス！

日本ではZoom飲みが人気となったが、Zoomは会議やレッスンなど商用で使うことを念頭に機能やユーザーインターフェースが整い、カジュアル感に乏しい。その点、プライベートのビデオチャットに特化している「Houseparty」はまさにオンライン飲み会に最適。カードゲームやカラオケなど一緒に遊べる娯楽ツールも充実し、飽きさせない。ただし、英語のみの対応で、例えばカラオケは欧米など海外の曲のみなど制限がある。国内でも「たくのむ」などオンライン飲み会サービスがリリースされ人気だが、SNS連携や娯楽機能はなく、よりオンライン飲み会を充実させるアプリやプラットフォームの登場が待たれる。

また、近年、アプリやサービスのキーワードとなっているのが「招待制」だ。音声SNSの「Clubhouse」は、知人から招待されなければ利用することができず、ユーザーが必ず誰かとつながりを持っているという安心感がある。オンライン飲み会アプリも招待制を導入し、街コンのように知らない人とマッチングされて飲めるようになれば、人気はさらに高まるだろう。

TOPIC 05

デジタル教科書

Before

教室に通って
対面授業を受ける

After

PCの画面が
仮想クラス

COUNTRY

中国　英国

現象 進化するオンライン学習

コロナ以前からデジタル教育、オンライン教育の導入が先行していた中国では、幼稚園から小学校卒業までの学習内容が入ったアプリ「納米盒（ナーミーフー）」の人気がさらに高まった。コンセプトは「保護者の秘書、先生のサポーター、子どものパートナー」。中国全土の教科書の約95%をカバーし、2500以上の学習コンテンツを提供する。映像、音声、画像を用いて予習・復習ができるほか、朗読や英語の発音チェック機能などもある。コロナ禍で休校が続いた時期にいっそう利用者が増えた。2021年2月1日時点で、累計ダウンロード数は2億9000万を超えている。

一方、ロックダウン中の英ロンドンでは、メッセージアプリ経由で、担任からの学習課題や自作の動画などが毎週送信された。だが、小学生は毎日遊んでいた友達と会えないことにストレスが溜まり、保護者も家庭でのサポートに不安を抱えた。そこで、保護者たちが自主的に始めたのが、チャットアプリ「WhatsApp」を使って、子どもたちが友達に向けて書いた手紙や写真を送り合う「デジタル交換日記」。また、ZoomやSkypeを使って保護者が交代で行う「グループ読み聞かせ」も実施した。さらに、英国の公共放送BBCは2021年1月、政府が3回目のロックダウンを発表したことを受け、インターネットにアクセスする環境が整っていない生徒に対し、学校のカリキュラムに基づいた本格的な教育番組の放送を決定し、1月11日に開始した。小学生向けに平日の午前9時から3時間、中学生に対しては少なくとも2時間の番組を放送した。

分析 子どもと親の距離が近づく効果も

「納米盒」は基本的に無料で、学習内容のカバー率が非常に高く、コンテンツが豊富なことから、利用が促進された。有料の電子参考書のダウンロード、有料の授業（数十元程度）なども用意し、ビジネスとしても成り立たせる試み。子どもだけでなく、宿題を見るときに教え方が分からない親も参考のために多くが利用した。

英国では、オンライン上でつながりたい子どもたちの思いを、保護者が工夫して実現させた。子どもたちの間で連帯感が生まれ、家庭内の子どもと親、あるいは子どもの家族同士の交流も深まったという。子どものために困難を共に乗り越えようとする機運が原動力となった。さらに公共放送が児童の授業を補完する番組を放送し、社会貢献する姿勢に対して共感が集まった。

ここにビジネスチャンス！

日本では児童・生徒一人ひとりにタブレットを配布する「GIGAスクール構想」が前倒しで進む。だが、肝心なコンテンツの供給が不十分なのが現状。将来的にコンテンツが充実したとしてもそれを個々の生徒の疑問解決や教育指導に活用する教員の研修や訓練も必要で、デジタルデバイスなどハード面が揃っても教員の指導力の差で教育格差が生まれないようなサポートも求められる。「納米盒」のように9割以上の教科書をオンライン化し、あわせて映像などを用意することは難しいにせよ、教科書をつくる一部の出版社が先んじて、デジタル化や映像配信に取り組んだり、教員のオンライン授業の研修、支援を行うことはビジネスとして有効。パンデミックでなくとも、例えば従来のようにインフルエンザで休校になったときもオンラインに切り替えて学習の継続が可能になる。

また、英国の事例のように、子ども同士、保護者同士のオンラインコミュニケーションをサポートするサービスも需要が高まるだろう。

さらに、オンラインによる学習や授業が可能な環境が整備された場合、学校や先生の役割も"ティーチング"（授業を行う）から"コーチング"（わからない箇所を指導したり、モチベーションを高めたりする）へと変わってくる可能性があり、そうした未来を見据えた視点も重要となる。

TOPIC 06

スマート ミラージム

Before

ジム通いで
トレーニング

After

スマートミラーを使って
自宅で本格ワークアウト

COUNTRY

米国

現象　自宅エクササイズサービスに注目

外出禁止令でジムに行けなくなった中、通信機能を持ち、映像やデータが表示されるスマートミラーを使った自宅エクササイズサービスが注目された。「Mirror」「Tonal」「Tempo」が主な提供業者だ、
「Mirror」のサービスでは、鏡に自分の姿を映し、鏡内の映像に登場するインストラクターの指示と動きに合わせて15～60分のワークアウトができる。ワークアウト中は手首に装着したスマートウォッチとリンクさせ、画面上に示される心拍数なども確認。本体価格は 1495ドルで、利用料（サブスクリプション）は月額42ドルからという設定だ。1台につき家族6人まで登録可能で、ストリーミング配信されるワークアウト動画の数は50ジャンル、1万種類以上。他に人気インストラクターのライブ中継クラスもある。

分析　健康志向の高い米国で最初に流行

「フィットネス業界のNetflix」の異名をとる自宅トレーニングバイク「Peloton」の大ブームが記憶に新しい。健康志向の高い米国人の間では、こうした自宅でトレーニングをするサービスが人気となっている。加えてコロナ禍で、出社前や退社後、あるいは休日にジム通いをしていた人たちがその機会を奪われ、リアルと同様に指導を受けて、鏡に映る自分の動きを確認しながら自宅フィットネスができるスマートミラーの人気が急上昇した。

出所：Mirrorプレスリリース

ここにビジネスチャンス！

日本もジムやフィットネス業界はコロナで大打撃を受け、今後の方向性を模索している真っ最中。提供側にとってスマートミラーは、将来的なパンデミックに備えるだけでなく、自宅需要を見込んだ新たな商機につながる可能性が高い。今はパソコンやスマホの画面でオンラインフィットネスのサービスを受けざるを得ないユーザーに、よりリッチな非対面ワークアウト体験の提供が実現する。既に国内ITベンチャー「ジーエルシー」が、フィットネス専用スマートミラー「Smart Mirror 2045 for Fitness」の販売を開始し、日本でも普及の兆しが出てきている。

いまだ大きなマイナスの影響を受けているリアル店舗のジムやフィットネススタジオは今後、スマートミラーなどのツールを用いることで、家庭での体験価値といかにしてシームレスに統合するか。家庭とジムを行ったり来たりできるような試みがサービス構築のポイントになるだろう。

TOPIC 07

画面旅行

Before

パックツアーで
団体行動

After

スマホでバーチャル
名所めぐり

COUNTRY

英国　タイ　など

現象　観光も鑑賞も自宅からバーチャル

海外では、有名博物館や観光団体がバーチャルツアーサービスを相次いで開始した。大英博物館、サファリパーク「Longleat」、世界遺産のストーンヘンジなどが、巣ごもり生活中の子どもたちの知的好奇心を高め、意義ある時間を提供するため、クオリティの高いVR体験が提供されている。Longleatの最初のバーチャルツアーは3日間で、オーストラリア、ニュージーランド、米国、インド、アラブ首長国連邦から視聴者を集め、合計55万4000人が体験した。

また、タイ国政府観光庁は、公式ホームページとSNSアカウントで国内9県10カ所に加え、バンコク、チェンマイ、スラータニー、プーケットの4都市について、スマホアプリを使ったバーチャルツアーを提供している。世界遺産であるスコータイ遺跡のワット・スィー・チュムに保存されている高さ15メートルの仏像や、東北地方のタイ最大のクメール遺跡をバーチャルウォークで楽しむことができる。その他、博物館や美しいビーチなどの観光名所も、スマホ画面をタップしたり、パソコンでクリックすることで、3次元で探索することができる。国内のタイ人向けのタイ語版のほか、英語版、日本語版などが用意されている。

分析　ステイホームでVR体験が人気

各国が外国人渡航者の入国を止めたり、制限したりしたため、従来の海外旅行は不可能になった。ステイホームの時間が多くなる中で、子どもだけでなく大人も世界の名所をリアルな形で探索できるVRにはまり、利用数が伸びた。特に世界屈指に観光立国であるタイのバーチャルツアーはコンテンツの数も出来栄えも群を抜き、人気を呼んだ。

バーチャルツアーにはインとアウトの両側面が存在する。一般人が海外旅行の疑似体験を求めて自国以外を訪れるアウトバウンド、これまで訪日旅行者で賑わっていた日本の地域が主体となって土地の魅力を海外在住者へオンライン体験で提供するインバウンド。インバウンドでは、名所を巡るツーリズム体験だけではなく、お寿司づくり体験と食事、日本酒講座と飲み比べなど、リアル体験を含めた複合的なバーチャルプログラムが実施され、人気が集まっている。

ここにビジネスチャンス！

現在、国や各種団体によるバーチャルツアーの他、参加者が自宅からパソコンやスマホでZoomなどを使ってアクセスし、海外在住の日本人が自分の住む町や名所を案内するオンラインツアーも広がり始めている。時間は30分～1時間、料金は数千円程度で、自宅と現地をライブでつないでガイドをしてくれる。ガイドはコロナ禍で人の往来が少ない町の光景もリアルに伝え、画面から現地の今を知れる貴重な機会にもなっている。

自分の要望や質問を伝え、ガイドが応じて答えたり、動いたりしてくれるいわば“代理ツアー”だが、現地に住んでいるからこそ知っている情報がわかり、ガイドとのやり取りも楽しめ、これが意外と楽しいと評判。リアルな旅行を申し込む前に現地を確認するための「下見ツアー」としての側面もあるなど、今後もビジネスとして可能性がある。ツアー会社が新たなサービスとして用意したり、フリーのガイドが現地に待機し、申し込みがあれば即座に生配信で案内するようなバーチャル名所めぐりもニーズを捉えそうだ。

また、分析で紹介したようなインバウンドのバーチャルとリアルの融合体験は、ツーリズムだけではなく、日本各地域の特産品の輸出促進という文脈で、海外販路開拓や現地需要調査などグローバルマーケティングの企画としても、海外進出を図る企業に提案できる。

また、海外の有名博物館や美術館のバーチャルツアーは日本の若者の間でも流行したが、国内の博物館・美術館の対応は大幅に遅れているようだ。最近、「塩田千春展」や「佐藤可士和展」、ルイ・ヴィトンの展覧会「LOUIS VUITTON &」、「におい展」など、若者に人気が出て展覧会に行く習慣が広がる中、バーチャルツアーをフックにその需要を捉えるチャンスを逃してはならない。

TOPIC 08

オンライン ドクター

Before

つらく面倒な病院通い

After

オンラインドクターで診察室は自宅の部屋

COUNTRY

米国　インドネシア

現象 コロナ禍でオンライン診療が拡大

日本のような公的な国民皆保険制度がなく、病院診療の医療費が高額である米国は、オンライン診療の先進国だ。高熱や咳の症状があるが、病院に行くべきか、自宅で様子を見るべきか判断が難しい場合、オンラインでドクターに診察してもらってから決められるサービスが以前から普及していた。通常、登録費や年会費がかかるが、コロナ禍では3カ月の無料トライアル期間を設けたり、感染者が多い地域向けに無料サービスを提供する診療機関も増えている。

インドネシアでも「オンライン診療」の利用が急激に進んだ。医師への相談の他、病院の紹介、市販薬の購入ができる。いくつかのサービス提供者は「新型コロナの無料診断」を提供し、さらに携帯キャリアによっては「コロナの無料診断」に関して通信費を免除した。インドネシアのヘルステックサービス会社でオンライン診療プラットフォームを運営する「Alodokter」の時価総額は急上昇。「Alodokter」の2020年3月の訪問者数は6100万人でアクティブユーザーは3300万人。コロナ前の1.5倍に及んでいる。オンライン医療の推進には大統領も支持と謝意を示し、今後ますます浸透していくと予想される。

分析 病院に行く前段階の未病対策にも

医療費が高い米国では、病院に行きたくても躊躇してしまう人が多く、オンライン診療によって的確な診断が受けられ、感染拡大の防止に役立った。例えば「CareCli」では、高熱などの症状がある場合、事前にアポイントをとれば、通常は65ドルのオンライン診察が無料になる。アメリカ全土が対象なので、誰でも利用可能であり、利用者は急増した。

ここにビジネスチャンス！

コロナ禍の日本国内では自宅で人間ドックを受ける人が急増し、トレンドになった。こうしたさまざまな診療の在宅化は世代を問わず加速する様相だ。

オンライン診療も初診から特例的に認められ、現在、恒久化への議論が始まっている。また、既にオンライン薬局で電話やビデオ通話での服薬指導と薬剤の配達も行われているなど、医療のオンライン化は急速に進む段階に来ている。加えて、オンライン診療を導入する際のシステムを提供するヘルステックベンチャーも複数が台頭し、今後プラットフォームの覇権争いが激しくなる。病院やクリニックなどでオンライン診療の導入ニーズが高まることは確実で、プラットフォームやコンサルティングビジネスのチャンスは広がりそうだ。

一方、もう少し先の視点で考えると、オンライン診療が普及し、病院などにわざわざ行かなくても気軽にコミュニケーションがとれるようになれば、未病対策になる。つまり、病気になる前、少し調子が悪いときに短時間のコミュニケーションをしてアドバイスをもらったり、経過観察もオンラインで継続できる。例えばサブスクサービスにして、いつでも相談できるようにすると、利用者は心強く、医者は新たな収入源になる。

日本は世界一の高齢化社会となっており、こうしたオンライン診療にVRを組み合わせたり、入院している高齢者が孫との面談にVRを用いて臨場感のあるコミュニケーションができるようにしたりするなど、多様なシーンで商機が広がりそうだ。

さらに、コロナ禍の米国で進んだのがGoogle NestやAmazon Echoなどスマートスピーカーを患者のベッドに設置する試みだ。必要に応じて患者と遠隔でコミュニケーションがとれ、体調の変化があった場合にだけ医者が駆けつけるソーシャルディスタンスの考えを一部に取り入れた治療を実現している。病院だけでなく、介護の現場でも有効となり、導入や支援ビジネスにチャンスの芽がある。

Beyond SHOPPING

新しい購買体験

無人配達からライブコマース、VR店舗、不動産のバーチャル内見まで、コロナの感染拡大防止の観点から、買い物では"非接触・非対面"が一気に加速した。その場に行かなくても購入でき、格段に便利になったことに味をしめ、コロナが終わっても、新たな購買の"標準仕様"として、各業界でニーズが高まることは必至だ。

TOPIC 01

非接触サービス

Before

もてなし型の
対面接客

After

買い物も飲食も
非接触

COUNTRY

米国　英国　中国

現象　非接触・省人化ショッピングの近未来

米国で再び脚光を浴びたのがモバイルチェックアウトだ。利用方法は、携帯に専用アプリをダウンロードし、買いたい商品を自分でスキャンするだけ。支払いもアプリ内のクレジットカード決済で済むため、商品をそのままエコバックなど袋に入れて即座に店外に出られる。店員と接触せずに買い物でき、時間も短縮されるのが利点で、Amazon Goだけでなく、セブン-イレブンや百貨店のMacy's、Walmart系列のSam's Clubなどが次々に開発や試運転に乗り出している。また、米国最大のスーパーマーケット「Kroger」は、ニューヨークを拠点とする「Caper」が開発した人工知能（AI）を利用したスマートショッピングカート「KroGo」の試験運用を開始。アプリなどは不要で、買い物客は商品をスキャンし、カートの端末からクレジットカードで直接支払うことができる。

英国の「Ubamarket」は、さらに便利な機能を備えている。アプリをインストールし、買い物リストを作成すると、リストに載っている商品が店舗のどこに陳列されているのかが表示され、買い物客は商品を探さずに手に取ることができる。商品はバーコードをスキャンして買い物かごに入れる。リストの商品を全てかごに入れたら後はアプリで支払いの決済をするだけで買い物は終了する。このテクノロジーを小売店などに導入するビジネスを推進している。

一方、中国では複数のデリバリーサービス会社が、2020年3月初旬から料理専用の宅配ボックスを導入した。それまでの非接触サービスは玄関ロビーに置いたり、門の外の仮設テントに置いていた。だが、取り違えなどのトラブルも多かった。

宅配ボックスは保温機能があり、消毒も随時行われる。注文時のスマホ画面のQRコードをスキャンすると自分の注文ボックスが開く仕組みだ。3月時点で上海市内には1000台設置され、全国に普及させていく計画だ。

さらに、上海の料理店では2020年3月にオープンした「Caretta Land栖蠵」が話題をさらった。アカウミガメがテーマのエンタメレストランだ。透明ガラスのフロアの下を海底に見立て、テーブルのタブレットで注文と支払いを済ませると、調理場から料理の入った卵型カプセルを腹の下に抱えたアカウミガメのロボットがフロアの下を移動してくる仕掛けだ。テーブルに着くと、ウミガメは"産卵"。その卵を開けると中に料理が入っている(2020年12月閉店)。

分析 キーワードは「安全性」

従来とは一変し、買い物でも飲食店でも人同士の接触回避が必須となった。その結果、ありとあらゆる手で非接触を可能にするサービスがもてはやされている。今まで、こうしたテクノロジーは利便性や効率の観点から導入が検討されてきたが、今回は感染防止のための「安全性」が新たなキーワードになっているのがポイントだ。例えば、スーパーの事例は、コロナウイルスの影響で、同じ場所に長く滞在することを避けるようになった社会で、探す手間もレジに並ぶ手間も省き、買い物時間を短くできるために流行した。

ここにビジネスチャンス！

日本でも非接触がキーワードとなり、例えば、タブレット端末とバーコードリーダーが装備され、キャッシュレス決済ができる買い物カート「スマートショッピングカート」を導入するスーパーが出始めている。リーダーでプリペイドカードを読み込み、客自身が商品のバーコードをスキャンして買い物を行い、有人レジやセルフレジを使わずに決済が完了するため、非対面・非接触が実現する。今後は、例えばその日に調理したいメニューをアプリに入力すると、材料一覧が表示され、商品がある店内の場所も画面上に表示されるなど、より便利なサービスも視野に入ってくるだろう。

レストランでも、料理の配膳などにロボットを使う店が続々と登場している。小売店や飲食店は人材不足が課題であり、非対面・非接触に加えて省人化も実現するこうしたテクノロジーが今後も拡大することは必至だ。

まだ日本に未導入なのが中国・上海の保冷・保温付きのロッカー。非対面で受け渡しが可能な上、時間が経過しても鮮度や温かさを保つことができ、飲食の宅配ビジネスの可能性が広がるツールだ。病院、オフィスビル、マンションなどのロビーへの設置が有効となる。特に日本の都会のマンションは手狭な物件が多いので、デザイン性が高くオブジェとしても見栄えする「デザイナーズロッカー」は有効だ。

TOPIC 02

無人配達

Before

トラック
ドライバーによる配送

After

無人配達が進み、物流の
主役はドローン＋ロボ

COUNTRY

米国　中国

DISTANCE
2 SHOPPING
ENTERTAINMENT
LUXURY
DATA
COMPANY
LOCAL

現象 外出禁止で配送ビジネスが伸長

外出禁止が続き、日用品の買い出しや処方薬の受け取りなどが従来のようにできなくなってしまい、特に高齢者にとって不便な状況が生まれた。そこで、Googleの親会社であるAlphabet傘下でドローン配送サービスを手がける「Wing」により、ドローンを使った薬や日用品の宅配サービスが米国の国内で始まり、利用はカフェやベーカリーまでに広がり、注目を集めた。バージニア州のパン店「Mockingbird Cafe」によると、パンデミック当初、ドローンの配達が総売上高の約25%を占めた。一方、オーストラリアのローガン市にある「Extraction Artisan Coffee」はパンデミックの間、Wingでコーヒーを配達することにより、バリスタの仕事を維持することができたという。

また、米国西海岸シリコンバレーにあるマウンテンビューでは、スタートアップの米スターシップ・テクノロジーズが手掛ける配送ロボットが活躍した。専用アプリで注文･決済すると、ダウンタウンにある飲食店の料理やスーパーマーケットの商品などを指定した自宅やオフィスに自動配達してくれる。

北京では自動運転の餃子デリバリー車が運行した。保温機能付きで、一度に最大24食分を配達可能。利用者は自動運転車が到着後、スマートフォンのQRコードを読み取らせ、車内から餃子を取り出す。5G通信を使った自動操作と車体のセンサーによって障害物を避けて運行できるという。

Wing社ロゴ
出所:同社プレスリリース

分析　非対面・非接触の必要から実用化加速

国内外では以前からドローンや自動運転車による宅配サービスは実証実験が行われてきた。それがコロナ禍になり、外出禁止や非対面・非接触の観点から必要とされ、実用化が一気に加速した。なお、非接触は、現状の配送の現場でも重視されており、日本国内では荷物を玄関に置くだけで配送を終える「置き配」が一般化されているのが象徴的だ。

ここにビジネスチャンス！

国内でも、物流会社や楽天がドローン配達の実証実験を重ねてきた。2021年4月からは物流大手のセイノーホールディングスがドローン開発のエアロネクストと提携し、山あいの集落で初の常時運用を始める計画。住宅地近くの着陸場まで荷物を届け、メールで通知を受けた住民が取りに行く仕組みだ。政府は22年度中に都市部も含めて地上から目視する補助者を必要としない「目視外飛行」を認める規制緩和を行う予定で、そうなると都市部でもドローン配達が可能になる。ドライバー不足やガソリン代の上昇に苦しむ陸の物流から空の無人物流に切り替わるきっかけになるかもしれない。日本郵便やヤマト運輸も実証実験を推進。今回のようなパンデミックに備えたBCP対策としても有効なドローン配達は、今後の配達の主翼を担う可能性がある。

着陸場を設置する費用は1カ所数万円とされ、山あいの集落であれば100万未満の投資でインフラが整う低コストが魅力。大手以外の参入チャンスもありそうだ。中距離をドローン、ラストワンマイルの自宅前までの配達を自動運転車という組み合わせも有効。

日本は人類未曾有の人口減少社会を迎え、労働人口は減り続けている。特にコロナ禍で技能実習生や留学生が減り、事態は悪化した。倒産の理由は、コロナより、人手不足の方が多いのが実態だ。それにもかかわらず、通販市場の拡大で宅配の人手不足はより深刻になっており、日本こそ「無人配達」を大幅に強化する必要がある。

TOPIC 03

ネオ直販

Before

八百屋や
スーパーで購入

After

「シェア買い」や
ライブ直販が人気

COUNTRY

中国

現象　食材配達や農家直販の新しいかたち

中国では、外出自粛期間に高齢者の多くが「盒馬（フーマー）」など食材デリバリーのアプリの利用法を習得した。生鮮品を注文すると、30分以内で無料配達してくれるため便利だ。一方、高齢者が主な顧客だった八百屋や市場が危機感を覚え、町内会単位のグループ販売を提供。米、卵、油など誰もが使うものを数十世帯向けに格安で販売する方法で、一部地域で定着した。

さらに、動画ライブ配信アプリ「快手（クアイショウ）」で、野菜を販売する農家が増えたことも注目の動きだ。快手は2020年の春節聯歓晩会（中国の国民的年越し番組）の一社提供スポンサーとなり、番組と連動したゲームやプレゼント企画でユーザー数を爆発的に増やしたアプリ。ライブ配信画面の下に購入するための「カートボタン」があるのが特徴だ。

分析　ヒットの背景に生産者の顔見せ効果

小規模単位での共同購入の促進は、コロナ禍で町内会の結びつきが強まり、グループ向け販売がしやすくなったことが背景にある。一方で、新型コロナによって野菜を卸せなくなった農家が、畑や農作業の様子を生配信で紹介しながら野菜や果物を直販した。視聴者は農家から品質やサイズなどを直接細かく質問して聞けるため、納得して商品を購入できると評判になり、利用者数が増えた。

さらに、農家のライブコマースが爆発的にヒットした背景は、中国では元々食の安心安全に不安を持つ消費者が多く、ライブコマースでは生産者の顔が見えて安心して買い物ができることが挙げられる。また、顔見せ効果により、コロナ禍で困窮している目の前の生産者を買い支えたいという意識が芽生えたことも購買を後押しした。遠出の自粛要請によって旅行や農業体験ができないストレスがある中、農園や畑からライブ中継を見て疑似的に「行った気になれる」点も人気に拍車をかけた。

ここにビジネスチャンス!

国内では、SNSでつながる友人とネットショッピングで割安に共同購入できるアプリ「KAUCHE（カウシェ)」が伸長している。こうしたシェア購入サービスを旧来のコミュニティである町内会などに提供することは検討に値する。高齢者でスマホを使う人は増えており、コロナ禍で町内の団結が強まっている今は追い風だ。

また、日本でも若者を中心にライブコマースは盛り上がっているが、アイドルやインフルエンサーがライブ配信の中で商品を売るレベルにとどまっている。本来であれば、世界一の高齢大国である日本は、高齢者をターゲットにすべきだ。今は、コロナの影響で農家は飲食店向けに卸す食材が減り疲弊している。高齢者と生産者をつなぐライブコマースがあれば、互いにメリットは大きい。

幸い、日本の地方では道の駅や直売所で農家が直販するコーナーが人気だ。従来は購入するのにマイカーなどで訪問する必要があったが、「快手」のようにアプリで買うことができれば商圏は全国に広がる。ライブ配信で消費者と生産者が直接つながることができ、気に入ったら直接訪問して農業体験を行うなど、新たなツーリズムを生むことも可能。農家に特化したライブコマースは仕掛け時だ。

出所:KAUCHEプレスリリース

TOPIC 04

ライブコマース

Before

百貨店で自ら手に
取って商品選択

After

ライブコマースで
擬似買い物体験

COUNTRY

中国

現象　ライブ配信しながらの販売が好調

中国では、ライブコマースがショッピングモールやデパートにも広がっている。

北京のパークビュー・グリーン・モールでは、顧客をより楽しませたいと考えているブランドのために、オンラインでのライブストリーミングサービスを実施した。同様に、北京の西単にあるジョイシティ・ショッピングセンターでは、新型コロナウイルスの流行期間中に20以上のブランドのライブストリームプロモーションを実施。ライブストリーミング中の3時間だけで通常の1週間分の利益を稼ぎ、接客した顧客数は、7ヶ月間分の来場客数にほぼ等しいという。

また、上海市内の老舗デパートの「ヤオハン」が3月8日、国際女性デーに自社のプラットフォーム「八百伴智慧購」を活用したライブコマースを実施。3月8日は毎年女性が半休となる日で、商業施設やレストラン、テーマパークはその日の午後限定のセールや割引キャンペーンを行う。だが、コロナの影響で外出しない人が増えたため、ライブコマースに切り替えた。

5時間のライブ配信中にレポーターが10店を回り、店のスタッフが割引価格で購入できるイチオシの商品を紹介。視聴者はデパート内を歩く感覚で、配信を見ながら気に入ったものがあればカートに入れて購入する。当日はヤオハン以外にも上海市内の万達広場、百聯、晶耀などのデパートやモールがライブ配信の販売を実施。どのデパートも中高年が主要顧客であることから、ライブ配信を見ながらの買い物は若年だけでなく幅広い世代に浸透していると見られる。

分析　ネットとリアルの中間的な体験を提供

単なるネットショップでの購入ではショッピング体験としては物足りないが、ライブコマースであれば、店舗での回遊を疑似体験でき、自宅にいながらにして購入できる利便性も享受できる。コロナ禍で直に訪問できないことに加え、こうしたネットとリアルの中間的な買い物方法が、便利なうえ、新しい体験として楽しいと受け止められ、想定以上に利用が拡大した。

ここにビジネスチャンス！

日本国内では、インフルエンサーによるライブコマースが一時期注目されたが、広く浸透するまでに至っていない。また、利用者がパソコンやスマホを使ってインターネット経由でログインし、百貨店に配置された走行型ロボットを操作してスタッフの案内を受けながら買い物する実証実験が一部で実施されているが、ロボットの配備、他の買い物客がいる中での安全な動線の確保など課題がある。

そうした中、スタッフが館内を回遊して店や人気商品を紹介したり、ゲストがエクササイズ、料理方法などを紹介したりするライブコマースは、実現のハードルが低く、効果が見込めるアプローチだ。一部で導入の動きもあるが、まるで自分が店内を巡っているような、より実態に近い体験の提供がポイントとなる。

例えば、専任スタッフが“ガイド”として百貨店内を歩きながら毎日お薦めを紹介するライブコマースがあれば人気は必至。利用者による質問に答えられたり、いつログインしても抜けても良い自由度があれば活用がしやすくなる。案内役に人気YouTuberやタレント、インフルエンサーを起用するのも一つの手だ。実際、人気タレントのゆうこすがD2Cブランドで化粧品を製造し、ライブコマースで若者に訴求してヒットするなど、日本でも成功事例は出始めている。

ただし一方で、こういった新しい手法と、百貨店やスーパーの実演販売、あるいはジャパネットたかたのテレビ通販のような実績のある旧来の手法が乖離しているもったいない状況もある。この新旧の手法を融合し、百貨店やテレビ通販の主なユーザーであるシニア層を取り込む秘策として、日本こそレガシーな商売のライブコマース化に注力すべきだろう。

また、日本でも2021年内に出店が計画されている、米ニューヨーク発祥でD2Cブランド専門の百貨店「Showfields（ショーフィールズ）」も注目だ。同店は、D2Cの商品が陳列され、実際に試して気に入ればECで購入する、いわゆるRaaS（Retail as a Servise）型の体験ショールーミングストアの先駆け。こうしたRaaS型の店は他にも「b8ta」が20年夏に新宿と有楽町に出店するなど、国内でも増えている。これらの店で、商品ごとやあるいは店内を巡る形でライブコマースを提供すれば、若い世代が飛びつく可能性が高い。

TOPIC
05

VR店舗

Before

営業時間に店舗に
行って接客を受ける

After

24時間好きなときに
バーチャルで買い物

COUNTRY

英国　米国

現象　バーチャル店舗は新体験を作れるか

米国でB2Bのオンラインマーケットプレイスを提供する「Nuorder」は、アパレルやアウトドアのブランドが商品を展示できるバーチャルショールームサービスを開始した。顧客があらゆる角度から商品を見たり、ズームインができる。発表会のランウェイ映像やイメージビデオ映像、デザイナーインタビューなどのコンテンツも追加可能だ。既に、Nuorderでは4億1000万点の製品が販売され、100以上の通貨が使えるようになっている。

同業の「Storefront」は、仮想現実や拡張現実の技術に強い「Obsess」と提携し、小売業者、ファッションブランド、デザイナーがVRストアを通じて新規顧客を獲得できる支援プログラムを提供した。既存の店をそのままVRストア化できる他、新規に全く新しいVRストアも構築可能だ。買い物客はVR店内を見て回り、欲しい商品をその場で購入することができる。VRヘッドセットを使って実際に仮想店内を歩き回る、よりリアリティの高いバーチャル体験も提供する。

オンラインショッピングが伸長した英国では、人気百貨店のJohn Lewisがバーチャルクリスマスショップを開設。3Dツアーで自宅にいながら、店内を自由に歩く感覚で、クリスマスの豪華なテーブルセッティングやきらびやかなクリスマスツリーを見ながら、気に入った商品をクリックして購入できる。

分析 アパレルショップでVRの導入進む

プラットフォームサービスを活用し、手間なく簡単にバーチャル化できることから、打ち手を模索していたアパレルショップの利用が進んだ。利用者も実際に訪問するリアルさには及ばないものの、自分が操作することで、店内を回遊できたり、商品の360度ビューを確認できる、少しだけ現実に近い体験が、新鮮さもあって受け入れられた。こうした3Dのバーチャル空間の操作は既に提供されているGoogleマップで使い慣れており、直感的に使える点も利用が広がった要因。

ここにビジネスチャンス！

3Dのバーチャル空間をブランドの世界観を感じてめぐりながらショッピングができる体験は、アフターコロナのニューノーマルでも導入が進む可能性が高い。プラットフォームさえあれば、店は過度な負担をすることなくVR化ができ、従来よりも幅広い顧客をオンラインで獲得できる。ただし、現状のVR店舗は、リアルならある、スタッフや一緒に行く友人との会話がなく"静か"だ。一緒にログインしてアバターで回遊できたり、チャットで質問すると店舗にいて余裕のあるスタッフが、リアルタイムに答えるなど、コミュニケーションが重要になる。そうした仕掛けでより買い物を楽しめるようになれば、VR店舗の定着に弾みがつく。

また、中国では、5Gネットワークと拡張現実（AR）を組み合わせた、MR（Mixed Reality）ショッピングナビゲーター「iGO」を複合超高層ビル「長沙IFS」が商業施設内に導入し、話題となった。ショッピングモールでスマートフォンをかざすと、CRMシステムで個々の顧客の行動や好みを分析しながら、位置情報に合わせて画面上に店舗情報、新商品情報、フラッシュセール情報などをリアルタイムで表示し、モール内で迷子にならないようにナビゲーションも提供する。iGOは特別なアプリのインストールが不要で、WeChat経由で即時にアクセス可能。自宅からのVRだけでなく、MRを活用したリアルのモールでの買い物体験も進化しようとしており、テクノロジーによってショッピングをDXする方向性は、日本でも注目されそうだ。

VRやARはコロナをきっかけに市場が一気に立ち上がり、もはや不可逆的な潮流となりつつある。コロナ後もこうしたプラットフォームを活用、構築していない企業は衰退する可能性がある。

TOPIC 06

バーチャル内見

Before

物件は車で回って
一つひとつ確認

After

好きなときに
不動産バーチャルツアー

COUNTRY

米国

現象 本格的にバーチャルツアーを提供開始

米国では、コロナ禍でも不動産の売り上げはそれほど減少しなかった。下支えに一役買ったのが、物件のバーチャルツアーだ。数年前からドローン撮影した動画で、家全体、庭、近隣の様子が閲覧できるような工夫を不動産業界では行ってきた。感染拡大で実見が難しくなる中、写真だけでは判断できないバイヤーに向け、不動産業界では新たに本格的なバーチャルツアーの提供を開始した。

代表格が、シアトルに本社を置く「Zillow（ジロウ）」だ。パソコンやスマホを操作して遠隔から外見、内見を可能にするバーチャルツアー「3D Home Tour」の事業は大幅増を記録した。同業の「Redfin」ではバーチャルツアーの需要が急伸。バーチャルツアーを作成するソフトを開発する「Rently」の需要も急増した。カメラを搭載したロボットを使った内見ツアーのプラットフォームを提供する「Zenplace」も全米の35を超える州で前例がないほど需要が伸びている。

分析 価格査定ツール導入で売買も活発に

従来、「Zillow」などが支持されてきた大きな理由は、物件や固定資産税のデータ、過去の売買取引などを基にした独自の価格査定ツールも公開されていることだ。「おおよその目安でいいから、今住んでいる物件の価値を把握したい」という売り手と、「販売価格が妥当か確かめたい」という買い手の双方のニーズを捉え、Zillowを介した売買も活発化し、急成長した。

Zillow 3Dホームツアーを表示しているカップル
出所:http://zillow.mediaroom.com/screenshots

加えて、遠隔から物件を見るためのプラットフォームやソフトウェア、コンテンツがそろっており、コロナショック直後から、内見を即座にリモートに切り替えることに成功した。利用者もバーチャルツアーで現地の情報の多くを知ることができ、購入の判断がしやすくなり、市場がそれほど落ち込まず活性化を維持できた。

ここにビジネスチャンス!

国内でも、高画質360°パノラマ画像で賃貸物件のバーチャル内見を可能にする「イッデモ内見」が利用を伸ばしている。不動産だけでなく、家具のVR展示会も登場。家具・インテリアショップの運営を手掛けるリグナが提供するバーチャルショールームが好例だ。Web上でパソコンなどを操作しながら回遊できる他、市販のVRヘッドセットを使って視界の360°を覆い、さらに現実に近い世界に没入した体験も可能だ。リアルタイムでスタッフとコミュニケーションが図れるようになるなどの進化をすれば、今後、わざわざ物件やショールームを見に行く手間を省く手段として、より需要の伸びが期待できる。

コロナ禍で不動産市場は大きく落ち込んだが、都会に住むことへの憧れが強い中、最初に回復するのは都心の物件からと見られる。都心志向の人はVRなど新しいテクノロジーとの親和性が高く、効率的に物件を見て回れる新サービスとして提供することは有効だろう。

賃貸物件のバーチャル内見
出所：クラスコ プレスリリース

TOPIC 07

チャットEC

Before

買い物サイトで
ひとりぼっちの購買

After

仲間とおしゃべり
しながらEC体験

COUNTRY

米国

現象 グループで楽しむオンライン買い物

外出できない中でどのように友人と一緒にショッピングに行く楽しさを実現できるか——。それを叶えるサービスが米国の「Squadded Shopping Party」だ。同国のAsosやBoohoo、MissguiededなどのECサイトで、グループでショッピング体験を楽しめる。ターゲットは15～25歳のZ世代。友人同士で一緒にコンテンツを楽しむNetflix PartyやInstagramのCo-Watching機能など、欧米ではグループで楽しむオンラインサービスが増加しているが、その方向性がオンラインショッピングにも波及した。

実際にはGoogleのアドオン（拡張機能）として実験的に提供されている。アクセスし、友人や知人に通知を送ってチャットに招くと、ECサイト上のさまざまな商品を見てまわりながら、意見交換や雑談ができる。欲しい物リストを共有したり、気になるアイテムについて「似合う」「やめたほうがいい」などを投票できるシステムも実装している。

分析 VR店舗＋チャット機能が若者に人気

リアル店舗で服を選ぶとき、似合うか、似合わないか、その場で友人から率直な意見を聞くことは特に若い女子にとって最も重要なポイント。従来、ECサイトでは、その不可欠な要素が欠けていた。コロナ禍で実店舗での買い物が難しくなり、頭を悩ます女子は増えたはずだ。そこで、チャット機能を使ってあれこれ感想を言い合いながら楽しい買い物ができるこのサービスにZ世代が飛びついた。

ここにビジネスチャンス！

アパレルや雑貨、生活用品などありとあらゆる商品がECサイトで購入できるようになった今、次に考えるべきは、いかにリアルに近い購買体験を提供できるかだ。特に女性にとって、買い物はコミュニケーションツールであり、友人や知人とのおしゃべりが欠かせない。その盲点に切り込む「Squadded Shopping Party」は、ECサイトの店を集いの場にして、女性が求めていた新たなEC買い物体験を実現する。日本の若い世代は、コロナ禍でも消費金額がそれほど落ちてなく、特にアパレルへの興味や消費は上の世代より大きい。先行する同社の取組みをヒントに、従来の日本のアパレルECサイトにはなかった"おしゃべり機能"を自社サービスとして展開することは有効打となるだろう。こうして、オンラインでの利便性や感染リスクを避けられる安全性を担保しながら、ショッピング本来のエンターテインメント性や友人、恋人、家族と共に同じ時間を過ごす体験価値を提供できる"ハイブリッドなショッピング"が今後の主流になってくる。

TOPIC 08

貸切ショッピング

Before

全員横並びで
慌ただしく品物選び

After

一人だけの空間で
夢の買い物体験

COUNTRY

現象 丁寧な接客で顧客単価が大幅アップ

オランダでは、コロナ禍で自粛して閉店しているアパレル店が多い中、打開策として「プライベートショッピング」を取り入れる店も目立った。ネットで予約した日時に一人でショップに行き、入口で手渡される簡易手袋（ショップ店員も着用、オランダではマスクは推奨されていない）を付け、制限時間内（20分～1時間）に自分だけが貸切で買い物できるサービスだ。若い女性に人気のアクセサリー・ファッションブランド「My Jewellery」やランジェリーショップ「De LingerieBoetiek」が導入。後者では、感染予防のためのプラスチック板を用意して、板越しに顧客のサイズを測定した。

英国の大型ショッピングモールWestfield内の百貨店John Lewisでは、プライベートショッピングで、たった6人のカリスマパーソナルスタイリストがショッピングモール全体の20%の売り上げを達成する快挙を成し遂げた。成功の要因は、カラーアナリストやフォーマルウェア担当など得意分野を持つパーソナルスタイリストを揃えたことだ。ソーシャルディスタンスの規制により、通常より距離をとらざるを得ないため、試着室を大きくした。一度に接客できる顧客数は減少したが、一人ひとりに合ったコーディネートの提案、じっくり時間をかけた丁寧な接客を行ったことが奏功し、顧客単価を大きく上昇させた。イギリスの実店舗での買い物では、商品購入決定の70%が試着室という個別の空間で成立しているという調査もある。

分析　客数増が見込めない中で質を向上

コロナ禍で多くの集客によって母数を増やす戦略が難しくなった中、代替手段として行われたのが一人ひとりの顧客に手厚く接客し、単価を上げることだ。オランダでは店を貸し切るショッピングを提供し、顧客同士の接触を避けると同時に、女性にとって夢のような体験を提供した。英国の事例では、各分野のカリスマに接客してもらえる高付加価値サービスでおもてなし。いずれも顧客満足度を極限まで高めるのが狙いで、購入点数、購入額のアップにつながった。

ここにビジネスチャンス！

プライベートショッピングは既にデパートやカード会社の VIP サービスとしては存在していた。だが、ネットショップの拡大で既存店舗の存在価値が危ぶまれる中、新しい買い物の形として、コロナ収束後は一般向けに定着する可能性がある。また、貸切とはいかないまでも、店の接客の技術や待遇をより高める試みは有効だ。例えば英国のような広い試着室でのパーソナルなサービスはプラスアルファの体験となり、顧客が店に行く“理由”になり得る。つまり、店でしか提供されない体験価値をいかに高めていくかが、百貨店やアパレル店にとって重要なポイントとなる。

TOPIC 09

玩具サブスク

Before

家の中に幼児期に
使った玩具の山

After

玩具も月額制で
シェアリング

COUNTRY

英国

現象 月額制サブスクサービスの台頭

英国のサービス会社Whirliは、玩具を購入せず、レンタルできる月額制サブスクサービスを展開している。

玩具は年齢と共に使うものが異なり、使い終わると収納に困ったり、捨てなければならないことがネックだった。同社のサービスを使えば、飽きてしまったり、使わなくなった玩具を返却すると、新たな玩具に交換することができる。気軽にさまざまな玩具を試すことができ、返却することで家の中に使わない玩具の山ができることもない。気に入れば割引価格で購入することも可能だ。

分析 ステイホームで子を遊ばせる需要増

英国はロックダウンで外出が制限される中、家の中で子どもを遊ばせるためにこの玩具のサブスクを利用する人が増加した。購入すると高価な玩具も、サブスクの月額料金であれば手軽に使えるようになり、コロナの影響で収入が減った家庭にサービスの価値をアピールすることで、支持が広がった。

家族の在宅時間が多くなる中、日々の生活で限られた室内のスペースに玩具が溢れるような状況を避けたい意向が強くなったことも、人気が拡大した要因といえる。

ここにビジネスチャンス！

日本でも「トイサブ！」が同様のサービスを展開し、利用者が1万人を突破するなど、コロナ禍で大きく伸長している。トイサブ！は年齢や要望に合わせて同社の玩具選定のスペシャリストが、アイテムを選んで隔月で届ける仕組みで、何を選べば良いかわからない親にとっては、重宝する。気に入った玩具は返却せずに延長して使ってもよく、特別価格で購入も可能だ。

ただ、トイサブ！が提供するのは主に室内で遊ぶ知育系玩具で、例えば外で水遊びできるものや乗り物系の玩具は扱っていない。人気のあるそうした玩具も加えて、よりアイテム数が多い玩具のサブスクとして展開する手はありそうだ。また、絵本など玩具以外で成長と共に収納場所に困ってしまう幼児、児童向けのアイテムをサブスク化することも有効だろう。

Beyond ENTERTAINMENT

新しい娯楽のあり方

劇場や映画館、競技場に行かなくても、自宅であらゆる娯楽を楽しめるように。さらに、仮想空間やオンラインゲームの中で、アバターを使ってイベント参加するなど、リアルとバーチャルの融合も活発化。一方、古典的なドライブインやボートを活用した新エンタメも登場。コロナ禍で世界の娯楽は確実に進化している。

TOPIC 01

Zoom演劇

Before

劇場の舞台を
観客席から観劇

After

デジタル機能を
駆使した画面演劇

COUNTRY

ドイツ

現象　Zoom機能を活用し新しい演劇表現を

世界中で劇場での公演が中止を余儀なくされる中、ドイツで始まったのがパソコンやスマホで観劇するオンライン演劇だ。劇場の一つ「Schauspiel Leipzig」では、オンライン会議アプリのZoomを活用し、フランツ・カフカ作の「城」を上演した。無料プランで使える時間が40分であることを利用し、40分の話を4回に分けて配信。また、ベルリン・ドイツ座では、Zoomでウィリアム・シェイクスピア作の「ロミオとジュリエット」を上演。通常5幕の作品を13回に分けて配信した。公開された第1回は、ロミオとジュリエットが再会する仮面舞踏会のシーン。仮面の代わりにマスクを着ける演出で、コロナ禍ならではの表現を試みた。

分析　劇場が営業できないなか実験的試みを

単に舞台で行う演劇を流すのではなく、皆が仕事や交流で使っているZoomの機能を最大限生かして配信したことがポイント。例えば、全員が画面に現れている場面から、ロミオとジュリエットのみのシーンへ移行する際は、その他の演者がZoomから退室して2人きりになる演出を行った。さらに、幕切れも会議の終了という形で表現した。こうしたオンラインならではの演出が新鮮な印象を与え、クチコミで視聴者を集めることに成功した。

ここにビジネスチャンス!

日本国内でも演劇をオンラインで配信する試みは見られたが、ドイツの例のように、配信システムの機能を使って演出を工夫することで、今後、新たな娯楽としての可能性は広がりそうだ。通常の舞台公演と組み合わせ、例えば第1幕はリアルの舞台、第2幕はオンライン、第3幕は再び舞台で観劇するなど、ストーリー展開に合わせてオン・オフを行き来しながら話が展開する演出も考えられる。オンラインを代替手段としてだけでなく、積極的に演劇に組み入れる脚本家や演出家に注目が集まりそうだ。

ただし、重要なのはどのオンラインツールを使うかだ。日本はテレワーク比率が2～3割程度で、最も使われているZoomでさえ普及は道半ば。そんな中で他のツールを使えば混乱のもとだ。まだ使い慣れている人が他のツールに比べて多いZoomの活用は必須で、なおかつその機能をうまく演出に取り込む工夫が必要だ。

TOPIC 02

モノローグ芝居

Before

感染リスクの高い
集団での撮影方式

After

モノローグスタイルが
オンラインでヒット

COUNTRY

英国

現象 ”独白型”殺人事件ドラマが人気

1988年、英国放送協会（BBC）テレビの主要チャンネル「BBC One」で放送された劇作家アラン・ベネット脚本の「Talking Heads」は、数々の賞を総なめにした名作で、演技派の俳優たちによるモノローグ（独白）で構成された殺人事件ドラマだ。コロナ禍で、ハリウッド俳優のKristin Scott ThomasやMartin Freemanを迎え、Nicholas Hytner監督によって新作2話を加えた10話のオリジナルエピソードとしてリメイクされた。こうして復活を遂げた「Talking Heads」は英国内で6月に放送され、話題を席捲したのだ。

分析 コンテンツ不足のコロナ禍でヒット

モノローグという手法が、新型コロナ感染拡大防止のため、ソーシャルディスタンスを保った撮影が必要な制作現場のニーズと合致。他の現場で撮影が止まっているのを尻目に、俳優の独白を単独で安全に撮ることができたことで制作がスムーズに進行した。コンテンツ不足の中、こうして完成したドラマが放映されると、旧作のファンや新規の視聴者が飛びつき、ブームが再燃した。

ここにビジネスチャンス！

コロナのようなパンデミックが起こると、映画やドラマの撮影がストップし、結果的に放映が遅れることが改めて分かった。そうした中、“独白”という撮影スタイルは感染防止という観点からメリットがあり、有用なことが証明された。国内では、お笑いコンビ、ウーマンラッシュアワーの村本大輔氏が、一人しゃべりで笑わせる「スタンドアップコメディ」をZoomで配信し、話題をさらった。

テレビドラマやコメディだけでなく、ソーシャルディスタンスを保って俳優を配置し、それぞれが独白することでストーリーが展開する舞台も、安全性に配慮した演劇手法となり得る。その他、俳優が一人だけ出演する一人芝居なども有効だ。今回の事態をきっかけに見直された“モノローグ”による芝居が、今後盛り上がる可能性もある。

TOPIC
03

自宅
ナイトクラブ

Before

毎夜、仲間と
クラブ通い

After

有名DJと
オンラインクラブ

COUNTRY

ドイツ

現象 無料でライブを楽しんで寄付

近年、欧州で最も影響力のある音楽産業のハブの一つであり、クラブカルチャーが盛んなドイツ・ベルリンでは、ナイトクラブ（以下、クラブ）が営業不可となる中、人気クラブが協力し、2020年3月18日から22日までの5日間、毎晩19時から0時まで日替わりで登場する有名DJが演奏をオンラインで無料配信する企画「United We Stream」が行われ、話題となった。クラブカルチャーのメッカ、ベルリンならではの取り組みだ。視聴者は、ライブを楽しみながら企画への寄付も同時にできる。コロナの収束が見えない中、オンライン配信は4月以降も不定期で継続。ベルリン自然史博物館の展示室にDJライブセットを持ち込んで演奏する様子をライブ配信するなど、斬新な企画を次々と断行している。

2020年6月からは『United We Stream Asia』がスタートした。日本を代表してVENTがキュレーターとして登場し、AKIRAM EN、DJ DYE、Black Boboi、ALTZ、SUNGAが出演。至極のプレイを披露して日本のDJの実力を世界にアピールした。

分析 巣ごもりのストレスを解消

自宅にいながらにして高水準のクラブミュージックが楽しめることから、若者を中心に多くがアクセスし、視聴したりその場で踊ったりして、巣ごもりによる鬱屈した気持ちを解消した。訪問者は実に4000万人を数え、ベルリンの67のクラブに57

万ユーロが寄付された。さらに活動は世界に広がり、2000人超のアーティストが参加。世界中から150万ユーロの寄付がなされた。

ここにビジネスチャンス！

日本国内でも自治体からの営業時間短縮要請により閉店する20時までクラブでリアルに楽しみ、その後は自宅に帰ってライブ配信するバーチャルクラブを楽しむ若者が見られた。今後は、自宅に大型スクリーンを用意し、音響を整えれば、有名DJによるプレイのオンライン配信を映して、自室やリビングをさながらクラブのような空間にすることが可能だ。クラブ同士が連携したプラットフォームを作ることで、例えば、一夜に何軒もクラブをはしごすることも自宅にいながらにしてできるようになる。アフターコロナでも友人を家に集めてお酒を飲みながら"自宅ナイトクラブ"を楽しんだり、あるいは個々が家からアクセスし、同じ店のDJプレイを同時にリモートで視聴しながら、ヘッドセットを使って会話をするなど、クラブの体験を再現することも可能になる。1回の入店ごとの課金や月額のサブスクリプションモデルで使い放題のプランも考えられるだろう。今後は、リアルに加え、オンラインでの提供も整備すれば、日本中、世界中から顧客を集めることができ、収益増大も期待できる。

TOPIC
04

おうちイベント

Before

会場に参加者が
集まってイベント体験

After

自宅に商品が届き
リモートで試飲・試食

COUNTRY

デンマーク

現象　多様なオンラインイベントが開催

デンマークではイベントの中止が相次ぎ、存続の危機に瀕したイベント会社がオンラインイベントのサポートサービスを開始した。イベント企画者は専用のサイトから申し込んで、参加費・対象年齢・開催日時などを設定するだけ。参加者は同サイトで好きなイベントのチケットを購入して当日オンラインで参加する（無料イベントもある）。商品を使って試飲会、試食会、ワークショップ、ゲームなどを開催することも可能だ。その場合、商品の配送やPR、リアルに近づけるためのライブ配信の方法などはイベント会社がサポートしてくれる、参加者のもとにはイベント開始前に商品が届く。実際に、ワインやビールの試飲会、パンを焼くワークショップ、バリスタ講座、食事会、お絵描き教室、講演会など多様なイベントが開催された。

分析　プラットフォームサービスに需要あり

飲食店やメーカーもオンラインイベントを開きたいが、ノウハウがない。ユーザーも参加してみたいが、好みのイベントをどう探せばよいか分からない。その両者をつなぐプラットフォームを立ち上げた点に商機があった。提供する側は、企画さえ考えれば、後の商品の発送や宣伝、ライブの方法に関する専門的な知識は、すべてサポートが受けられるため、手軽に始められる。消費者側もサイト内を検索して気になるイベントをチェックできる。こうしたトータルで支援するパッケージサービスであったため、需給双方のニーズをつかみ、ヒットした。

ここにビジネスチャンス！

日本でもワインの試飲会をオンラインで開催するなど事例は広がり、こうしたスタイルに慣れた消費者は、コロナ収束後も利用することが予想される。ただし、国内では、講演会やセミナーのオンライン化が広がったものの、イベント領域は一部に見られる程度だ。イベントをオンライン化すれば、従来、足を運べなかった海外を含む遠方の顧客を取り込めるメリットがあるにもかかわらず、取り組みは進まない。

ポイントはリアルのイベントにできる限り近い体験をオンラインでも届けられるかどうかだ。その点で、デンマークの例のように、商品の発送からPR、ライブ配信のコンサルティングをすべて請け負うプラットフォームサービスを提供するビジネスが有望となる。

また、いかに自宅で特別感やリアル感を演出できるかも今後の広がりを左右する鍵となる。米国でケータリングサービス会社が開始したデリバリーサービス「パーセル」は、料理やカクテルを自宅に運ぶ際、食器はもちろん、カスタマイズ可能なテーブルクロス、カクテルインフューザー（オリジナルカクテルを作れる容器）など、厳選されたキッチンアイテムもパッケージに含んでいる。こうした自宅でもハイエンド体験をできるようなサービスの提供が重要だ。

TOPIC 05

バーチャルマラソン

Before

開催会場に行って
一斉にスタート

After

個々が遠隔で走り
仮想で順位を競う

COUNTRY

デンマーク

現象 バーチャル大会はチケット完売

デンマークでは、マラソン大会が中止になる中、スポーツショップなどが連携してスポンサーとなり、バーチャルマラソン大会が開催された。開催期間は土日の２日間。大人約2500円、子ども約1500円の参加費を払い、送信されたゼッケンを自分でプリントアウトして装着する。大人は5km、10km、ハーフマラソン、フルマラソンの4種類、子供は2kmにエントリー可能だ。走行コースは自由に決められ、走っても歩いてもよい。走破後、各自がタイムをスクリーンショットで報告する。

参加費のうち約150円はコロナ被害をサポートする団体に寄付する。どの団体に寄付するかはFacebookグループで意見を募り、最終的には投票で決定する仕組みだ。参加する側は孤独なジョギングを連帯して楽しむことができ、さらに社会貢献できる満足感もある。また、参加者には参加記念のメダルも届く。冬休みのアクティビティとして、子どもだけが参加するバーチャルキッズランも行われた。

分析 自由度の高さも人気の一因

アマチュアランナーにとって、マラソン大会の出場は日々のモチベーションになるが、次々と中止となり、目標を見失っていた。そうした中、バーチャルマラソン大会が開催され、コースも自分で決められる自由度から人気を博し、開催１カ月前で予定数のチケット2500枚が完売となった。単に走ってタイムを競うだけでなく、寄付によって社会貢献できる仕組みも、コロナ禍で連帯感を得たかったり、何か役に立ちたいと思う人たちの受け皿となり、参加意欲に拍車をかけた。

ここにビジネスチャンス！

国内でも、個々が同時刻に自主的にスタートし、設定された距離を走り、完走後にタイムを報告して順位を決めるバーチャルマラソン大会が各地で実施されている。同日に限らず、数週間以内などに走破すれば良いといったより自由度の高いルールを設ける大会も行われている。例えば、ジョギングアプリ「ASICS Runkeeper」を活用し、ランナー自身でコースを自由に設定して走行ログを記録する「ROAD TO TOKYO MARATHON 2021」などが代表格。参加したランナーには抽選で2021年10月開催予定の東京マラソン2021への出場権が与えられる。バーチャルマラソン大会は、わざわざ大会が実施される場所に行かないで済む気軽さから、コロナ収束後も一定の需要を得そうだ。バーチャル開催であれば、企画次第で世界中から参加者を取り込める利点もある。

今後は、出走中のランナー同士がアプリを通じてコミュニケーションが図れたり、互いの走っている場所が地図上にプロットされたり、あるいは仮想空間上のコースが画面に表示され、走った距離に応じてプロットが動くなど、バーチャルで走る大会ならではのデジタル機能が備わると、より人気が出そうだ。

長距離の移動や旅行が制限されたコロナ禍では、自宅近辺でできる"ご近所アクティビティ"として、ランニングやウォーキングがこれまで以上の価値を持つようになったといえるだろう。加えて、寄付やバーチャルイベント参加など「社会や人とつながって同じ目的のアクションを行ったり、共に時間を過ごせる」ことが人気を呼ぶエッセンスになっていく。

TOPIC 06

ドライブイン娯楽

Before

マイカーを駐車場に
停めて会場へ

After

自家用車が最小の
エンタメ空間になる

COUNTRY

ドイツ　デンマーク

現象　ドライブインシアターの人気急上昇

コロナ禍で、屋外にマイカーを駐車して巨大スクリーンに投影される映画を楽しむドライブインシアターの人気が急上昇した。そうした中、ドイツのケルンでは、ロックグループBringsがドライブインシアターに使われる会場で、ケルン大学病院のための慈善コンサートを開催。その他、同国のデュッセルドルフでは、ドライブインシアターの会場を使い、HIPHOPライブが実施され、その模様はテレビで生中継された。また、イースターの際にはドライブインシアターで礼拝も行われた。また、デンマークでも約500台の車を収容できる会場で同国初の大規模なドライブイン・コンサートを開催。会場では音楽演奏のほか、コントやフィルム上映なども実施された。

分析　車内から出ずに感染リスクを防ぐ

コロナ禍では、友人・知人に会えない中、人々はつながりや連帯を求めており、同時に刺激も欲しいと考えている。感染リスクを防ぐ観点では、車で移動し、車内から出ずに体験できるイベントが最も合理的な手段の一つであり、ドライブインシアターの会場を活用し、一体感を感じられると同時に、アーティストのライブで非日常の感動も得られる今回の試みは、必要なすべての要素を満たした画期的な手法だろう。欧米では一般的なドライブインシアターという娯楽が、他のエンタメにも応用され、人々の心に潤いを与えた。

ここにビジネスチャンス！

通常、大規模なイベントを行う際は、会場とは別に付近に駐車場を確保する必要がある。駐車場でそのままイベントを開催できれば、会場が不要になり、省スペース化やコスト削減につながる。また、全国にある巨大な駐車場で音楽フェスやその他のイベントを車内から楽しむ新たなエンターテインメントのかたちが生まれる可能性がある。アーティストも普通のフェスではステージからの演奏に限られるが、デンマークのドライブイン会場では、アーティストが車の間を動き回る新しい演出も行われ、車内の観衆を魅了していた。従来、映画だけにとどまっていたドライブイン型娯楽だが、今後はさまざまなコンテンツへの展開が見込めそうだ。

ポイントは、「ソーシャルディスタンスを確保して移動できる価値」、「最小単位のエンターテインメント施設としての価値」が、自家用車に見出されてきたということだ。日本は「若者の車離れ」が言われて久しい。だからこそ、こうした車の“新体験”を企画することが重要であり、日本こそ新たな車の使い方を主導し、多くの斬新なイベントを立ち上げるべきだ。

TOPIC
07

デジタルフェス

Before

リアルの会場で
一つになって熱狂

After

Zoomで一体感のある
双方向ライブ

COUNTRY

タイ

現象　オンラインフェスに活路を見出す

2020年6月、タイでは人気バンド「Safeplanet」も出演し、アーティストと観客が双方向で交流できるタイ初のオンラインミュージックフェスティバル「Online Music Festival Top Hits Thailand」が開催された。ポイントは、視聴プラットフォームにZoomを採用し、ファンとアーティストがオンラインでつながり、ライブチャットを可能にしたことだ。また、収録スタジオでは、アーティストの周囲の壁に設置した巨大なスクリーンに接続した5000人以上の視聴者の姿が映し出される演出も行われた。単純にライブをオンライン配信するのではなく、Zoomを使えばいろいろなやり方ができる。

分析　双方向で交流できるのが画期的

自分のZoomの画面がスクリーンに投影され、アーティストとのチャットも楽しめることで、インタラクティブなライブ体験ができたことに、このイベントの特徴はある。自宅にいながら、視聴者側もその他の参加者と一緒に熱狂する感覚を味わえた。さらに、アーティストも無数の観客の存在を感じ、高揚感を抱きながら演奏し、熱のこもった歌を届けられる。一般的なオンラインライブにはない一体感が、盛り上がる原動力となった。

これは、オンラインだからこそ生まれた、アーティストとファンの“距離の近づき方”の好例だ。国内でも投げ銭をして好きなアーティストやスポーツチームを応援する動きが活発になっており、コロナ禍とオンラインの普及を背景に、ライブにおけるファンとアーティスト・選手の距離が一気に近くなっている。

ここにビジネスチャンス！

サザンオールスターズをはじめ、日本国内でも多くのアーティストがオンラインライブにチャレンジしている。さまざまなライブハウスのライブ演奏が月額定額のサブスクで見放題となる「サブスクLIVE」を音楽レーベルのLD&KなどがLINEと協業して配信し、ライブハウス支援に乗り出すなど、ライブのオンライン化は各方面で進んでいる。今後は、リアルのライブではできないチャットでのコミュニケーションや、タイのフェスのような一人ひとりの観客を画面で映し出して一体感を演出するような双方向性を生かした仕掛けが重要になってくる。その意味では、Zoomのエンタメ利用は可能性のある切り口だ。

日本では、若者を中心にファンの方がアイドルグループなどと臨場感やリアリティを持つために、さまざまな方法で近づく工夫をしている。自分が好きな推しメン（いち推しのメンバー）の等身大パネルを作成できるアプリを使って自作するなど、涙ぐましい努力をしている。それに対し、主催者側はファンとアーティストを近づけるアイデアが不足しているように見える。Zoomを使うことはその端緒となる。

リアルのコンサートが全面的に復活した場合でも、オンラインで参加する観客枠も設けてハイブリッドで開催すれば、通常のチケットが購入できなかったファンの機会損失を防ぎ、主催者側の収益増大にも寄与することになる。さらに、オンラインであれば、海外から手軽にアクセスできるようになり、K-POPに比べ、ドメスティックな人気にとどまっている日本のアイドルが、市場を世界に広げるチャンスとなる。

出所:LINEプレスリリース

TOPIC
08

フローティングシネマ

Before

**映画館で
着席して鑑賞**

After

会場は「運河」
観客席は「ボート」

COUNTRY

フランス

現象 フローティングシネマという試み

フランスのパリに流れるセーヌ川の運河で、2020年7月、150人の地元の人々を招いて屋外映画イベント『シネマ・シュール・ロー』が開催された。特徴は、観客席がボートであることだ。38隻の小型ボートに家族や友人同士が2人、4人、6人のグループに分かれて乗り、くつろぎながら映画を鑑賞した。

イベントは2つの映画館を運営している「MK2」が共同主催社として参加。当日は、MK2のキュレーターが選んだジル・ルルーシュ作品『Le Grand Bain』が上映された。中年太りの仲間たちがシンクロナイズドスイミングに挑戦する愉快な作品だ。

分析 おしゃれな体験がパリっ子に人気

セーヌ川やバッサン・ド・ラ・ヴィレット河畔で毎年開催されている都市型ビーチイベント『パリ・プラージュ』がコロナ禍で通常開催できない中、イベントの目玉として実施されたのがボートから巨大スクリーンで映画を楽しむ前代未聞の催しだ。夜のとばりが下りる中、ボートで少しだけ揺られながら水上で映画を鑑賞する初めての体験が、おしゃれで新しいものが好きなパリっ子たちの心に刺さった。

ここにビジネスチャンス！

日本でも公園の池でボートを漕いだり、屋形船で宴会、花火鑑賞など、水上で娯楽を楽しむ習慣はある。この古くからあるエンターテインメントを発展させ、例えばパリのように、池に巨大なスクリーンを設置して映画鑑賞イベントを提供する。あるいは、ステージを設けてライブやお笑いイベントを行うことは有効だ。屋外の開放された空間で、他人と距離を保てるため、感染対策になると共に、水上という特別な空間で提供することが付加価値となる。

水上に加え、公園の活用も日本の課題だ。東京では、コロナ禍で動物園などが次々と閉鎖され、大きな公園も「夜ピク」（夜にピクニック）などと称して、若者たちが缶チューハイ片手に集まって屋外飲み会をして、批判の対象となった。感染対策をしっかり行えば、大きな公園や東京に縦横無尽に流れる川こそ息抜きの場となるはずで、提供してうまく"ガス抜き"するという発想が本来であれば求められた。

また、「遊覧船と映画」というように屋外でのアクティビティとエンターテインメントなコンテンツを組み合わせる考え方は多方面に応用が利く。キャンプやたき火などアウトドアと音楽、映画、演劇といったコンテンツを組み合わせるなどマッシュアップすれば、新たな遊びを生めるはずだ。

TOPIC 09

つながる動画配信サービス

Before

一人で映画を観て
後で感想を言い合う

After

恋人や友達と
各自の家で一緒に鑑賞

COUNTRY

米国

英国

カナダ

現象　映画を観ながらグループチャット

全世界で配信され、4週間で7200万世帯視聴という記録を打ち出したNetflix制作、シャーリーズ・セロン主演の映画「The Old Guard」は英国でも人気を博した。こうしたヒット作が出る中、ロックダウン中に同国で流行したのが、遠く離れた恋人や友人同士で、Netflixの作品をグループチャットをしながら一緒に視聴できるサービス「Netflix Party」だ。2020年10月には「Teleparty」と名称を変更し、Netflixだけでなく、Disney+、Hulu、HBOの作品でも使用可能になり、配信会社の枠を超えた汎用的なサービスになった。

また、カナダの「Rave」はTelepartyよりも幅広い機能を備えている。テキストや音声でチャットしながら、ビデオとオーディオのコンテンツをパソコンやスマホで友人と一緒に視聴可能だ。Netflixのほか、YouTube、Vimeo、Reddit、Googleドライブなど様々なソースからのコンテンツを共有できるのが特徴。友人とだけでRaveを作成して参加したり、誰でも利用できる公開Raveをホストとして作ったり、検索して参加することもできる。AIを使用して選択した2つ以上の曲を合成する機能もある。

分析　仲間で感想を言い合う楽しみを再現

コロナ禍で映画館に行ったり、友人の家に集まることができなくなり、仲間と一緒に同じ作品を見る機会が失われた。その代用として使われるようになったのが、TelepartyやRaveだ。

リアルタイムに同一の作品を鑑賞することで一体感を味わうことができ、途中や終了後にチャットで感想を言い合う楽しみも得ることができた。

ここにビジネスチャンス！

自宅で映画を鑑賞するのは、地上波でもDVDやブルーレイでも、一人か家族という単位が基本。それはレンタルビデオの時代から変わらないセオリーだった。だが、Teleparty、Raveによって、当たり前だったスタイルが一変しようとしている。自宅映画は、遠く離れた誰かと一緒に楽しむエンタメに昇華する。今後、映画館に行くように、あらかじめ約束して離れた友人と一緒に作品を見たり、SNSで募ってバーチャルで映画鑑賞会を開き、終了後はお酒を飲みながら感想を言い合って余韻に浸るイベントなども開催されるようになるだろう。

Telepartyは、日本でも多くの若者が活用し、同じ映画を見てチャットすることは珍しくなくなった。様々なメディア業界はこうした若者のトレンドである「友人とシェアして楽しむ」ことができる施策を考えず、ただ業績を落としていった。メディア業界が右肩下りの今だからこそ、「友人とシェア」を念頭に新しい取り組みを行うべきだ。

TOPIC 10

ゲームのリアル化

Before

テレビゲームは単なる娯楽

After

仮想空間で消費や生活が本格化

COUNTRY

米国

現象 外出制限でソシャゲやVRが発展

パンデミックによる外出制限でMicrosoft、Nintendo、Twitch and Activisionなどゲーム大手は世界中で売り上げを伸ばした。特に、Microsoftの「ゲーム版ネトフリ」と呼ばれ、常時100種以上のゲームをダウンロードできるサブスクサービス「Xbox Game Pass」は大ヒット。友人同士で同じゲームが楽しめる「Xbox Live」の利用が大幅増を記録した。

そうしたゲームのプレイヤーを見つけて、一緒にプレイし、交流できるSNSが、英国で流行している「noobly」だ。登録者のプロフィールを閲覧して普段プレイしているゲームを確認し、一緒にプレイしようと招待することができる。プレイ中はボイスチャットで話すことが可能で、ゲームを介した出会いの場となっている。ゲームを通しての人とのつながりは、もはや友人の枠を超えてきている。

また、注目を集めたのが、こうしたゲーム内の仮想空間を利用した新たなビジネスだ。世界的に人気を博した「あつまれどうぶつの森」（以下、あつもり）では、ファッションブランドのマーク・ジェイコブスが、過去のコレクションで発表した洋服のデザインをデータで配布し、キャラクターが着用できるようにした。また、ニューヨークのメトロポリタン美術館は、所蔵作品をゲーム内の家のインテリアに使えるようにダウンロードサービスを提供。英国のインテリア企業のオリビアは、家のインテリアコーディネートを専門家が支援するコンサルティングサービスを有料で始めた。コロナで結婚式を挙げられない人向けにクリエイターが結婚式専門の島を立ち上げ、世界

出所：ユミカツラインターナショナル プレスリリース

中のユーザーが訪れて結婚式を挙げる動きも見られた。

一方、人気ゲーム「フォートナイト」では、2020年4月、ラッパーのトラヴィス・スコットがゲーム内の空間でバーチャルライブを開催し、同時接続数1230万人という驚異的な記録をたたき出した。同年8月にはシンガーソングライターの米津玄師もバーチャルライブを実施している。こうしてゲーム内の仮想空間で、現実の世界のビジネスがそっくりそのまま行われる事例が相次いだのだ。

分析 オンラインで現実さながらに交流

今や、ゲームはオンラインでつながり、友人や仲間と同時接続して楽しむのが当たり前の時代だ。ゲーム中では、チャットや音声によるリアルタイムのコミュニケーションも可能となっており、自分の分身として操作するキャラクターを通して、まさに現実さながらの交流が行えるようになっている。コロナ禍では友人とつながることができる貴重な場となり、リアルの代替としての利用が加速度的に進んだ。また、バーチャルライブでは、ゲーム空間ならではの没入感がある体験が可能となり、ユーザーが空間内を自由に歩き回ることができ、仮想のライブフェス会場で他のユーザーと一緒に楽しめた点にも支持が集まった。

ここにビジネスチャンス！

今後、オンラインゲームの空間が、リアル以外のもう一つの「社交場」となり、新たな消費や活動が生まれる舞台になることは確実だ。実際、香港ではあつもり内で中国政府への抗議活動が行われ、米国ではあつもり内のコミュニティに向けて情報発信などの政治活動を行う例も目立ち始めている。リアルと同様に、有料でモノが売り買いされる世界が既に実現しており、企業にとっては、広告活動やゲーム内アイテムの販売など本格的な収益ビジネスになる可能性に秘めた魅力溢れる市場が立ち上がりつつある。これからは、ゲーム内の仮想空間も消費の主戦場の一つになる。

日本はゲーム大国であり、ここからが正念場だ。ゲームの中で消費させたり、広告を見せたりするなど、ゲームというハブで様々なビジネスが活性化される業界を超えた波及効果を得ることが大切だ。

TOPIC 11

バーチャル コミケ

Before

高い交通費に加えて 会場周囲に長蛇の列

After

オンラインで バーチャルコミケを堪能

COUNTRY

日本

現象 VR空間でのイベントや展示が人気

2020年4月29日～5月10日に開催されたバーチャルリアリティ（VR）空間上で行う世界最大級のイベント「バーチャルマーケット4」は、71万人以上の参加を記録。「企業出展会場」と「一般クリエイター出展会場」に分かれ、企業は43社、一般クリエイターは1400ブースを出展した。セブン-イレブンジャパンや伊勢丹が仮想店舗を出店するなど大手も積極的に動いた。来場者は、会場に展示された3Dアバターや3Dモデルなどを、自由に試着、鑑賞し、気に入ったら購入も可能だ。アバターが着用するアパレルや雑貨も購入でき、例えば、伊勢丹はアバター用の「ガラスの靴」「赤のパンプス」などを1000～2000円で販売した。

一方、同年4月10日～12日に開催された同人誌即売会「ComicVket 0」には約2万5000人が来場。VRに触れたことのない一般の参加者にも気軽に参加してもらうため、VR機器だけでなく、PCやスマホからも楽しむことができる環境を整えた。その後、同年8月13日～16日には「ComicVket 1」、2021年4月29日～5月5日までの7日間にはVR空間上で行うインディーズゲーム展示会「GameVketZero」も開催された。

分析 どこからでもアクセス可能

エンタメ分野では、見本市や展示会が相次いで中止になる中、いち早く動いたのが日本のコミックマーケット（コミケ）をけん引する団体だ。「バーチャルマーケット」はその代表格。

交通費や施設外での待ち時間が不要で、世界中のどこからでも簡単に来場できるバーチャルイベントの可能性を示す結果となった。

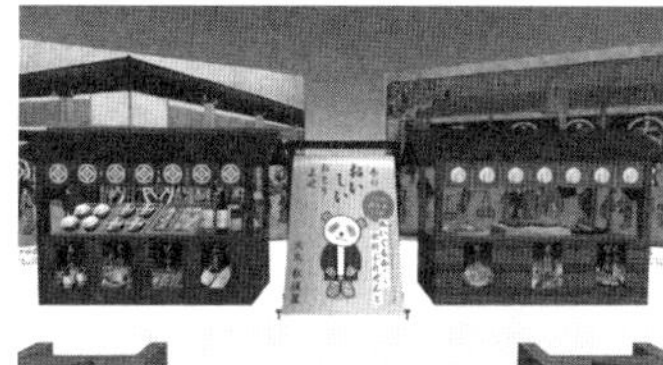

2021年夏に実施される「バーチャルマーケット6」
出所:HIKKYプレスリリース

ここにビジネスチャンス!

日本は、エンタメビジネスが国内にとどまり、世界を視野に広げていくことが苦手だ。実際、韓国では韓流ドラマを中国や東南アジアのテレビ局、Netflixに売り込みグローバルで消費されているのに対し、日本のアニメは、Netflixで最近は増えてきたが、基本的には国内市場での展開が中心で、自国の武器を活かし切れていない。コロナに関わらず、グローバルな市場をとりに行く意識が重要だ。

オンラインコミケのようなエンタメ分野のバーチャルイベントでは、技術やノウハウ、実績で日本が世界をリードしているといっても過言ではない。大手企業にも理解と出店意欲があり、将来的に最先端の地位を保ちながら伸びていく可能性が高い。企業側も積極的に出店しながら知見を蓄積し、しっかりキャッチアップしていくことが重要となる。

また、これらの技術やサービスを別のビジネス展開に生かすとすれば、最も可能性が高くすでに活況なのがオンラインでのビジネス展示会、商談会だ。従来、展示会や商談会は、世界各国でリアルに対面で行われてきたが、コロナ禍で制限され、各主催者はオンライン体制を一気に整備している。顧客に商品やサービスの紹介、商談ができるということだけではなく、バーチャルコミケに倣ってエンターテインメント要素のあるビジネス展示会を企画することで、集客や成果に違いが出てくれば大きな差別化になる。

TOPIC 12

アバター
スポーツ観戦

Before

球場やスタジアムで
スポーツ観戦

After

画面越しに
アバターで観戦

COUNTRY

デンマーク

現象　巨大スクリーンに1万人の観客を投影

世界各国のプロスポーツが無観客で再開された中、デンマーク・オーフスを拠点とするサッカーチーム「オーフスGF」は、フィールド周囲に巨大なスクリーンを設置し、1万人のファンがオンラインで参加できるZoomミーティングを設定。Zoomに1万人の観客がログインし、ファンが画面越しに見守る中、ゲームを行った。Zoom専用のモデレーターを設置し、不適切な言動や行動を行ったファンは強制的に退場させる措置をとった。リモート観戦の新しいスタイルとして注目された。

分析　新しいリモート観戦のかたち

無観客試合では、選手はファンの存在を認識することが難しく、ファンも選手との一体感を味わうことができない。Zoomを使えば、応援する様子を選手が視認でき、ファンも自分たちの姿を届けることで、選手の力になっていることを実感できる。擬似的な双方向性、一体感が成立し、バーチャル観戦の可能性を広げた。

ここにビジネスチャンス！

日本の球界では、横浜DeNAベイスターズが、オンライン上に「バーチャルハマスタ」を開設し、ファンがアバターで仮想空間の球場に入場し、グラウンドか

出所:KDDIプレスリリース

ら巨大なスクリーンで野球を観戦するシステムを提供。延べ約3万人の参加者を集めた。スポーツイベントが無観客で行われる場合を考慮し、試験的にデンマークのサッカーチームのような仕組みを導入したり、ハードやソフトも含めてその仕組み自体をパッケージ化して、各種スポーツのチームが無観客になった場合に即座に提供できるサービスを行うビジネスを展開するなど、様々な施策が考えられる。

アフターコロナの時代は、後期高齢者や要介護者の人が増え、平成以上の高齢化の時代を迎える。それに伴って、応援したくてもできない人の数がかなり増えるため、「自宅から動かなくても疑似的に会場にバーチャル参加して観戦できる」機能はより一層重宝される。

　さらに、東京五輪開催を経て、同規模での無観客試合やソーシャルディスタンスの確保が前提になるスポーツイベントに関して、運営スキル、経験値を次の時代に活かしていく姿勢が必要だ。バーチャルで参加することは何もスポーツに限った話ではなく、例えば、国が推進していく方針のIRカジノ事業やMICE事業などにも転用する広い視野が重要となる。

TOPIC
13

宇宙旅行

Before

家族で一番の娯楽は
海外旅行

After

一生に一度は
宇宙旅行

COUNTRY

米国

現象　12.5万ドルで宇宙を6時間フライト

米国では次の時代の旅行に向けたプロジェクトが動き始めている。宇宙気球に乗って、民間宇宙飛行のおよそ3倍の高度に当たる10万フィート以上をフライトする「Space Perspective」による宇宙旅行だ。2024年末に打ち上げ予定で、搭乗者はNASAのケネディ宇宙センターから日の出前に出発。飛行時間は6時間で、ほぼゼロエミッションで航行し、彩り豊かな地球の姿を堪能できる。料金は1人あたり12万5000ドル（2021年6月末のレートで約1375万円）。

分析　夢の体験がだんだん現実に

コロナの感染が拡大し、海外への渡航はおろか、国内の遠出も自粛しなければならない昨今。旅行をしたい欲求が高まる中、夢のある宇宙旅行の話題が多くの人の心を捉えた。実際、フライトの予約もウェブサイトから可能となっており、現実味のある話として宇宙旅行を実感できることもポイントだ。

ここにビジネスチャンス！

イーロン・マスク率いるスペースXが2021年10月～12月に、民間人だけによる世界初の宇宙船を打ち上げると発表するなど、最近、宇宙旅行に関する話題が少しずつ世間を騒がすようになっている。同社はネッ

ト衣料品通販大手ZOZOの創業者、前澤友作氏と月を周回する宇宙旅行の契約も結んだことでも有名になった。宇宙気球によって、安全に宇宙旅行が楽しめるようになれば、より身近なものとなり、さらに旅行料金が数百万円台に下がれば、一般の人たちも少し無理をすれば手が届く旅となる。“一生に一度は宇宙旅行”が現実になるのも、そう遠い未来ではないかもしれない。日本では、ヴァージンギャラクティック社日本地区公式代理店として、クラブツーリズム・スペースツアーズが一人25万ドルで2021年以降の運航開始を予定している。

出所:クラブツーリズム プレスリリース

Beyond LUXURY

贅沢の概念が変わる

一流レストランのコース料理を自宅で家族と調理。あるいは、映えるコーヒーを自作してくつろぐおうちカフェ、自宅で家庭菜園や養蜂、そして職住をキャンプ場に移す新ノマド族。共通するのは、高額な商品やサービスではなく、快適に過ごす"時間"こそが贅沢という発想。コロナによって人々の価値観は大きく変わったのだ。

TOPIC
01

コース料理デリバリー

Before

高級レストランに行ってディナーを堪能

After

有名店のコース料理を自宅で完全再現

COUNTRY

オランダ

現象　人気店のコース料理を自宅で再現

オランダでは、ミシュラン星付きレストランのコース料理が自宅で簡単に“完全再現”できる食材キットのデリバリーサービス「Cook Like a Chef」が話題になった。フォアグラやトリュフ、キャビア、ロブスターなどこだわりの高級食材と、誰でも手軽に作れるように説明が書かれている指示カードが同梱されている。さらにウェブサイト上では、作り方の動画が公開されている。家族で極上の料理を作り、自宅にいながらにして、贅沢なコース料理を楽しめる新しい体験を提供している。

分析　一緒に調理し食べる時間こそが贅沢

日本でも星付きレストランがメインブランドやサブブランドでテイクアウト、デリバリーの料理を提供する事例はあるが、オランダのこのレストランの特徴は、料理ではなく、食材キットを届けている点だ。単に食べるだけでなく、一緒に家族で調理を楽しむ時間も提供している。パーティーコースやビーガンコース、クリスマスコースなど多数の種類を用意する。また、選択したコース料理に合うワイン、チョコレートなども注文でき、まさに外食の贅沢な体験を、自宅で再現できるように、きめ細かくオプションを設定している。

ここにビジネスチャンス！

贅沢の価値が、従来の「高級レストランや高級食材を味わうこと」から、「家族や友人と一緒に調理する時間、それを一緒に食べる時間こそがラグジュアリー」という価値観へと変化しているのが最大のポイントだ。

日本でも、「yuizen」が様々な高級料理店が作る高級宅配弁当をデリバリーするサービスを始めている。さらに、レシピ検索サイトの「クックパッド」やレシピ動画アプリの「クラシル」のユーザーが増えたことからも、在宅時間が増える中、調理にはまる人は確実に増加している。自宅での調理では、ミールキットの宅配も伸長している市場だが、高級レストランのコースを再現できる食材キットは未開拓の領域。高級料理と自宅調理を掛け合わせたサービスは、攻略する価値がありそうだ。

店自らが手掛ける他、高級コースの食材キット配達専門のプラットフォームを作り、マーケティングや調理方法の動画作成を含めたレストラン向け支援サービスとして展開するアプローチも有効だろう。一方、英国では、王室御用達の食料品店「Waitrose」が、バレンタイン用のミールキットを手頃な20ポンド（約2,900円）で提供。メニューは前菜、メイン2つ、デザート、ボトルワインかボックスチョコレートを選択するもの。日常使い以外に、こうした特別な日のミールキットを展開すると需要を掴めそうだ。

また、国内に約300万人の外国人が住むことを考慮すれば、彼らに受けが良いベジタリアン向けミールキットやハラル向けミールキットなど、特化した商品も検討すべき選択肢といえそうだ。

TOPIC 02

おうちカフェ

Before

人気のカフェで
贅沢なひととき

After

自作で楽しむ
カフェメニュー

COUNTRY

韓国　英国

現象　ダルゴナコーヒーが英国で大流行

都市封鎖中の英国で大流行した韓国発の飲み物が「ダルゴナコーヒー」だ。グラスに注いだ白い牛乳の上に、インスタントコーヒー・砂糖・お湯を1：1：1の割合で混ぜてミキサーでひたすら撹拌してふわふわになったホイップを載せれば完成。本家の韓国では人気アイドルのTWICEが流した動画をきっかけに拡散したが、トレンドが世界中に飛び火し、遠く英国でも瞬く間に普及した。親子が一緒に作る楽しみもあり、洗練された見た目からカフェのような雰囲気を演出できることも人気の秘訣だ。

日本でも若者を中心にヒットし、一時期はSNSに画像が溢れた。牛乳をアーモンドミルクや豆乳に変えてヘルシーさを追求しても良いし、マシュマロやアイスなどのトッピングでより映えさせたり、味変を楽しむことも有効。コーヒーを抹茶やココアにするなどバリエーションも幅広い。

分析　おうち時間をちょっと贅沢に

ポイントは、①手軽に自作できること、②自宅で常備してある食材だけで作れること、③映える見た目でSNSに投稿したくなること、④“おうちカフェ”の定番メニューとして、カフェさながらの雰囲気や時間を自宅で満喫できることだ。ダルゴナコーヒーは、この4つの要素を満たしたため、爆発的な人気を得た。

ここにビジネスチャンス！

日本のおうちカフェでは、韓国発のイチゴ牛乳「センタルギウユ」も若者の間で流行した。生のイチゴをみじん切りにしてグラニュー糖を加えてよく混ぜてソース状にし、牛乳を注ぎ、荒く切ったイチゴをトッピングする飲み物だ。イチゴソースと牛乳の層がきれいに分かれ、インスタ映えする。

日本の若者は韓国トレンドの影響を受けやすく、韓国で流行したおうちカフェの飲み物や食べ物を、手軽に自作できる食材セットとして販売することは商機となるだろう。おうちカフェでヒットしたものとして、カフェのメニューやコンビニの商品として提供することも手だ。

飲み物や食べ物だけでなく、例えばカフェの雰囲気を出せる本格的なカップやソーサーなどの食器、テーブルクロス、ちょっとしたテーブルやスツール、ランプなどを「おうちカフェ用パッケージ」として展開することは、一つのビジネスアイデアだ。

TOPIC
03

自作発酵食品

Before

**納豆やヨーグルトは
スーパーで調達**

After

健康フードを
家庭で自作する時代に

COUNTRY

中国

現象 中国で人気の発酵家電

中国では、自宅でヨーグルトや納豆を作ることができる発酵家電が人気だ。発酵食品による免疫力アップと、自宅で家族が一緒に作れる楽しさが受けている。調理家電メーカーの「小熊(シャオション)」や「九陽(ジウヤン)」などが販売し、小熊のミニ発酵器99元(約1,500円)は、中国のECモール「天猫(テンマオ)」で月間1.4万台を売り上げた。

分析 忙しい都市生活者でも取り組み可能

一台で、ヨーグルトも納豆も作れる汎用性が利点。ヨーグルトを作る場合は、牛乳に別売りのヨーグルト菌パウダーを混ぜる。一方、納豆を作る場合は、生の大豆と別売りの納豆菌を入れる。温度管理や発酵時間などは発酵器にお任せするだけのほったらかしでできるため、忙しい都市生活者も難なく取り組める。ヨーグルトはボタンで酸味を調節できる。

ここにビジネスチャンス!

日本でも、コロナ禍で納豆やヨーグルトなど発酵食品を毎日摂取する人は非常に多い。すでに国内の家電量販店では、「免疫力向上のためのヨーグルトメーカー」など店内にコーナーが作られている。加えて無印良品が販売する、毎日のかき混ぜや容器が不要で、野菜を入れてチャックをするだけで漬物ができる袋タイプの発酵ぬかどこが大ヒットするなど、発酵食品の自作への需要も高い。国内には他にも醤油や味噌、甘酒、塩辛などさまざまな発酵食品があり、日本はまさに発酵食品の宝庫。おいしく自作できる発酵家電を開発すれば、支持される可能性がある。

また、コロナ禍ではホットケーキミックスが売り上げを大きく伸ばし、自宅で家族と一緒に作れるクレープメーカーなどカジュアルな家電のニーズも高くなっている。単に発酵食品を作れるだけでなく、マーケティングとして、「自宅で、家族で作る楽しさ」を訴求することもヒット商品開発のキーワードとなる。

加えて、単に作れるだけでなく、発酵度や出来栄え、味などを細かく設定できる高級発酵家電を開発・販売すればヒットの可能性がある。

TOPIC 04

生鮮品の新調達法

Before

こだわりの野菜を高級スーパーで入手

After

野菜の"自給自足"やゴーストコンビニが拡大

COUNTRY

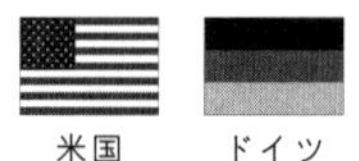

現象 家庭菜園や生鮮品配達の人気上昇

巣ごもり生活が続く米国では、野菜の種や苗の販売をする「Burpee Seed」や家庭菜園の方法を教えるオンラインコース「Oregon State University's Master Gardener program」の需要が急速に伸びている。家で過ごす時間が増えたことに加え、食料の調達を心配に思う心理も引き金となり、自ら野菜を育て“自給自足”で不安を解消しようとする生活者が増加したことに起因する。今までガーデニングや家庭菜園に関心の無かった層が興味を示していることが特徴だ。

ドイツの食料品配達スタートアップ「Gorillas」は、特定のローカルエリアに10分以内で新鮮な食料品を配達することを強みに利用が拡大している。ターゲットは料理中で重要な材料を購入し忘れた人や、毎週新鮮な食料品を仕入れる必要がある店舗などだ。深夜でも注文可能で、社名のとおり、ゴリラのぬいぐるみを着た配達員が届ける。こうした食料品の配達専門業者は、デリバリー専門のゴーストレストランになぞらえ、ゴーストコンビニエンスストアともいえる新業態で、ニューヨークやロンドン、フィラデルフィアなどでも登場している。

分析 自然に触れ、体を動かすセラピー効果

都会暮らしの居住者層は、初めて家庭菜園を行うことで、農業の大変さを知ると共に、土に触れ、体を動かす中で、リラックスでき、運動にもなることに喜びを見出しているという。きっかけはパンデミックに対する不安だったとはいえ、その楽

しさに目覚め、これからも継続しそうな潜在顧客層を掘り起こした。

実は、太陽の下で土に触る行為は精神的なセラピー効果が高いともいわれている。さらには家族一緒に同じ作業をしたり、自分で育てた野菜を食べる満足感はコロナ禍における不安を大きく軽減したと考えられる。自宅で育てている人は買い物へ行く頻度が減ることから、時間とお金の節約に、オフィスで育てる人は昼食時に食べたり、同僚と野菜を収穫することで、社内のコミュニケーションやストレス解消につながるなど、二次的な効果も出ている。

また、巣ごもり生活で家庭で調理することを楽しむ人たちから、生鮮品の配達ニーズも急増。何分で配達できるかを争う超高速配達時代が到来し、世界の大都市で複数のスタートアップがサービスを展開している。

ここにビジネスチャンス！

日本でも、家庭菜園を中心とした自給自足が新たな市場として伸びる可能性は高い。背景にあるのが、健康意識への高まりや自宅時間の充実を求める動きだ。日本では、コロナを機に、住みたい町ランキングも都心から郊外へ移行していることからもわかる通り、都会を離れる人が増加している。都心から100キロ圏内への移住も増えていると聞く。つまり、コロナ禍が東京一極集中に変化をもたらしつつある。こうした移住

層は、郊外だからこそできる自給自足への興味関心が強いはずだ。広い土地を使った果物や野菜の栽培講座、本格的な農業実践プログラムなど様々なビジネスを仕掛ける好機が到来している。

また、都心の在住者にも同様のニーズはある。マンションのベランダや自宅の小さな庭でも育てることができる組み立て型のミニサイズ畑、スプラウトやマイクロリーフのような誰でも簡単に育てられる野菜、ハーブ類は需要の増加が見込める。

一方で、家庭で調理すること自体に魅力を覚える人が増える中、足りない食料品を"速達"するデリバリー専門のゴーストコンビニは、日本でも展開すればビジネスのスケールが見込める業態だ。

TOPIC 05

アーバン ガーデニング

Before

家庭菜園は一部の愛好家の趣味

After

ハイテク栽培や養蜂キットで急拡大

COUNTRY

インドネシア

イタリア　他

現象 在宅で養蜂できる巣箱が世界中で評判

インドネシアでは、首都ジャカルタなど主要都市で、自宅での趣味を模索する人たちが増えた。その選択肢の一つとして人気が急伸したのが、アーバンガーデニング（Urban Gardening）、つまり都市生活の中でできる家庭菜園だ。

また、イタリアでは、「Beeing」が在宅で養蜂ができる新製品「B-Box」を発表した。マンションのベランダでミツバチを飼うことができる巣箱で、巣に十分な量のハチミツを残しながら、余分なハチミツだけを抽出できるように設計されている。巣箱の側面はガラス張りで子どもたちがミツバチの生態を観察することもできる。独自のデザインにより、ユーザーはハチに刺されることなくハチミツを採取可能だ。

分析 都市生活に疲れた若者の自然回帰

大都会のジャカルタでは、庭を持たない人は多く、土を使わずに水と液体肥料、容器さえあれば室内やベランダなどでプチ菜園が可能な水耕栽培が人気を博した。手軽で、植物を育てることによるヒーリング効果も期待できることから、都市在住の若年層を中心に瞬く間に広がった。さらに多めに育てて、野菜を販売する家族の姿も見られた。この10年で急速な経済発展と都市の成長をみせたジャカルタやバンコクなど新興国の都心では、競争社会や所得格差に疲弊した若者を中心に、自然回帰の傾向や地方都市などへの移住の動きはすでに見られていた。それに今回のコロナが一気に拍車をかけたともいえる。

一方、イタリア発祥の養蜂キットは、瞬く間に人気が広がり、今や世界の100カ国以上で新たな養蜂家が日々生まれている。

ここにビジネスチャンス！

ハイテクを掛け合わせた新時代の水耕栽培デバイスもコロナ禍で人気急上昇。特にヒットしたのが、米国企業Aero Gardenの水耕栽培ハイテクキットだ。LED照明と高栄養肥料で、一般的な栽培より5倍程度速くレタスやトマト、ハーブ、花を育てられるという。除草剤、農薬、遺伝子組み換え種子を使用していない安全性も特徴。注文が殺到し、公式サイトでも高額商品が一時品切れになるほどの活況を見せた。同国では他にも、ēdnがウォールナット材とLEDライトバーで構成され、Wi-Fi接続機能を備えている「SmallGarden」を販売。アプリでデータを得て植物を管理することが可能だ。自給自足生活を実現可能にするこうしたデバイスは、室内で手軽に扱うことができ、特に居住空間が狭い日本ではビジネスチャンスがありそうだ。

さらに、養蜂キットも新たなジャンルだ。ミツバチはよほどのことがない限り人を刺すことがないといわれ、ペットのように飼育して癒されるだけでなく、ハチミツという対価が還元される目新しさがある。簡単に扱えるキットがあれば日本でも普及が進みそうだ。

TOPIC 06

スローライフ動画配信

Before

セレブのゴージャスな動画が人気

After

素朴な“暮らし系”が注目を集める

COUNTRY

中国

現象　スローライフな動画配信が中国で人気

中国のSNSで大人気のビデオブロガーが「李子柒（リー・ズーチー）」だ。中国版Twitterと呼ばれる「微博（ウェイボー）」ではフォロワー数が2750万、中国ではつながりにくいと言われるYouTubeでも1480万にも上る（いずれも2021年3月末現在）、まさにカリスマ的な存在だ。

配信する動画は、中国の田舎で畑仕事や大工仕事、料理などを行う様子を淡々と流すもので、セリフはほとんどない。しかし、自然の中でのスローライフな暮らしや清楚な雰囲気の彼女の魅力が、クオリティの高い映像で配信されると、その姿が中国の多くの人々の心を奪った。特にコロナ禍において、都会での生活に疲れ、自然の中で暮らすことに憧れる若者による支持がうなぎのぼりとなり、人気が絶頂に達している。

分析　都会暮らしに疲れた若者に癒やしを

李子柒は親戚をたらい回しにされ、14歳から働きに出た苦労人として知られている。動画ではカメラ目線も笑顔もなく、クールな印象で視聴者に媚びることは一切ない。一方でサバイバル術を身につけているタフな側面もあり、畑で野菜を作るのはもちろんのこと、調味料も畑で採れた野菜などを使ってゼロから作る。調理で炒める際に使う油も実際に菜の花を育てて絞る徹底ぶりだ。全てにおいて今までのインフルエンサー像からかけ離れた存在で、都会のマスク生活とは無縁の、四季の移ろいを感じながら暮らす農村生活が視聴者を惹きつけている。

ビジネスも手掛けており、2019年に発売を開始した田舎料理の食材キットは、外出自粛期間中に大ヒットした。例えば、螺螄粉（タニシ入りビーフン）は、「マスクより入手が難しい」と言われるほど人気に。2020年7月には李子柒自身の食品会社を設立するなど事業を拡大している。

ここにビジネスチャンス！

日本でも、自分の生活の様子を質の高い映像で配信する「暮らし系YouTuber」が主に若い世代に人気になっている。20代男性の奥平眞司氏が都内でのアパート暮らしを淡々と映像で流す「OKUDAIRA BASE」が好例だ。コロナを機に、派手さとは対極にあり、お金を掛けない素朴な生活に、魅力を覚える人が増えていることが背景にある。日本では、郊外への移転が進みつつあるとはいえ、依然として大都市に住む人は多く、若者を中心に都会暮らしに疲れ、癒しを求める傾向は強い。今後のSNSでのコミュニケーションも、自然や素朴さが感じられる内容を取り入れることが、視聴者の心を惹きつける重要な要素となる。

TOPIC 07

臨機応変レストラン

Before

予約の取れない
高級レストラン

After

屋外の手軽な
ワインバー

COUNTRY

デンマーク

現象　世界一の高級店が屋外ワインバーに

世界のベストレストランに選ばれることが多く、食通の憧れであるコペンハーゲンの高級料理店「ノーマ（noma）」。予約が取れないことで有名だったこの店が、新型コロナウイルスの感染拡大をきっかけに、2020年5月、全く新しいビジネスモデルで店を再開した。湖を見晴らすオープンエアのワインバー兼テイクアウトの店としてオープンしたのだ。

メインメニューは、何とシンプルなハンバーガー。創業者は、予約の取れない高級レストランよりも、友人と気軽に行くことができるカジュアルな店を選んだのである。

nomaはさらに新店「POPL」を開業。自社の発酵ラボで手作りされたデンマーク産オーガニックビーフのパテと、ベジタリアン・ビーガン用の植物由来代替肉のパテを使ったハンバーガーを提供する。

分析　カジュアルさと柔軟性が求められる

今までは、洗練された店内や特別な接客の中、高級な料理を味わうことがレストランの価値とされてきた。しかし、そうした厳かな体験より、肩の力を抜いて、気軽に楽しめることこそが、レストランの本来の価値であると、サービスを提供する側も受ける側も気付いた。つまり、大切なのは料理の値段ではなく、リラックスできる時間であり、自然の中でワインを飲んで語らうスタイルが人々のニーズと合致した。

ここにビジネスチャンス！

今後、料理の技術は世界トップレベルでありながら、予約不要で手軽に立ち寄れるカジュアルなスタイルのレストランの需要が高くなる。例えば、高級レストランがセカンドブランドとして立ち上げ、ニーズを取り込む手は有効といえそうだ。その場合、湖畔やキャンプ場など自然を感じられるオープンエアでの出店はより付加価値が高くなり、ニーズを取り込める可能性が高くなる。

また、気軽に楽しめるカジュアルさに加え、これからのレストランは臨機応変に営業スタイルを変えられるフレキシビリティ（柔軟さ）が最も求められる時代になってきた。「sio」（東京・代々木上原）は、2021年1月からの緊急事態宣言下で、朝から朝食向きのフルコースが楽しめる“朝ディナー”を始めた。料理とペアリングするノンアルコール飲料も提供する。在宅ワークで午前中を休みにするなど働き方を調整できる人が増える中での試みだ。

TOPIC 08

オンラインバー

Before

お気に入りの
酒場で一杯

After

自宅で楽しむ
オンラインバー

COUNTRY

英国

現象　有名ビール会社がオンラインバー開催

スコットランドで人気のクラフトビールメーカーでパブチェーンも展開する「BrewDog」が、ロックダウン（都市封鎖）で実店舗に行けないビール好きの人たちに向け、Zoomによる「オンラインバー」を開設した。毎週金曜日開催で、参加する際の条件は、英国の飲酒可能年齢の 18 歳以上であること、事前にオンライン登録すること、同社のビールを事前購入すること。創業者2人による「バーチャル・クイズ大会」(パブで行うクイズ大会は英国では古くからのイベント)、ビールテイスティング、ライブ音楽配信など、盛りだくさんのコンテンツを提供し、自宅にいながらにして本物のバーのような盛り上がりを楽しめることが特徴だ。

分析　ファンとの交流と特別な時間を提供

元々、クイズ大会などの強力なコンテンツがあり、単にオンラインで店のスタッフと話せるだけでなく、リアルと同様の娯楽を体験できることが価値となった。BrewDogでは、大晦日に年越しオンラインバーを開催するなど、今も不定期ながら実施しており、ファンをつなぎとめるツールとして機能を果たしている。

ここにビジネスチャンス！

日本でもキリンビールがスポンサーとなったオンライン飲み会を開催されるなど、一時的なイベントとして開かれるケースがあったが、メーカーがオンラインバーを常設する動きは見られなかった。例えば国内でファンを抱えるクラフトビールメーカーがジャズやバンドのライブを定期的に開催してきたバーとタッグを組み、BrewDogと同様に自社の商品を買って参加することを条件に、生の音楽配信やクイズなどのコンテンツを提供するオンラインバーを展開することは、店の支援や商品のPR手段として効果的だ。

コロナ禍では宅飲み需要が広がり、一時期、人と話しながら飲みたい人のニーズを捉え、Zoom飲みが人気を博した。だが、それも下火となり、宅飲みで飲みの場に求めたい「人とのコミュニケーション」が失われてしまっている。メーカーが趣向を凝らした常設のオンラインバーを主催すれば、コミュニケーションに飢えたビール党やワイン愛好者たちを取り込める可能性が高い。

アフターコロナでは、オンラインで店の雰囲気を知ってもらい、リアルの来店につなげるようなハイブリッド型のバーも一つの手だろう。

TOPIC 09

車中ディナー

Before

屋内で料理に舌鼓

After

車内でフルコース

COUNTRY

ドイツ

現象 レストランの駐車場で車中ディナー

ミュンヘンのイタリア料理店「Monti」は、敷地内の駐車場を生かしたサービス「Dinner in the Car」を提供した。自家製ラビオリやグリル海老といった通常のメニュー、アルコールフリーのアペリティフ（食前酒）やドリンクだけでなく、フルコース（39ユーロ）も注文可能。車の中にいながら贅沢な食事を体験してもらえるように、レストラン内で使用されるものと同じ食器、ミニテーブルクロス、LEDランプ、布ナプキンを提供していることがポイントだ。従業員は全員マスク・手袋を着用し、衛生上の安全面にも気を配っている。食べ終わった後の食器は車の横に置かれた小さい机の上に置く仕組みで、直接のコンタクトも最低限に抑えている。

分析 他人と距離をとりながら料理を堪能

他人と一緒に屋内で食事をする従来のスタイルは避けたいが、レストランの雰囲気を味わいながら料理を堪能したい。そうしたコロナ禍での二律背反のニーズに、車中というプライベートな空間を活用して応えたことが奏功した。

ここにビジネスチャンス！

日本ではデリバリーやテイクアウトを始めるレストランが目立ったが、それらに加え、第三のサービスと

して「Dinner in the Car」は有効な選択肢になり得る。今回のコロナでマイカーの車内が最も安全な場所の一つという認識は社会的に共有されており、再びパンデミックが起こった時に有用なほか、二人だけの空間を楽しみたいカップル向けの特別サービスとして、コロナ後に展開しても良い。

米国では、メキシコ料理のファーストフードを提供する大手チェーンChipotleが、専用アプリでオーダーすると、店舗の近くに停めたクルマに料理を配達するカーサイドピックアップサービスの試験運用を始めた。料理は店内で食べるだけでなく、様々なアクセス方法が模索されており、店内、テイクアウトのほかにも、クルマのそばまで持っていくなど多様なサービスを提供することが日本のレストランでも有効となる。

一方、自動車業界では現在、「ヘルス・ウェルネス・ウェルビーイング」のキーワードが注目されている。例えば、車内を座禅に適した場に変えるマインドフルネスの方向性や、空調にウイルスバスター機能を搭載する動きなど、車内の環境やデザインを心身の健康に結びつける取り組みが加速している。今後、クルマはよりプライベートかつリラックスするための空間に変貌していき、単なる移動手段ではなく生活を豊かにするものになる。こうした認識が日本に生まれるのもそう遠くないと考えられ、必然的に車の価値は高まることが予想される。

TOPIC 10

貸切宿泊

Before

客室以外は
宿泊者の共有空間

After

フロア丸ごと貸切
という贅沢空間

COUNTRY

日本

現象 貸切プランとテレワーク需要に活路

旅行や出張の自粛により宿泊施設は大打撃となったが、コロナ以前からさまざまな取り組みを行っていたのが、国内外でホテルや旅館を運営する星野リゾートだ。2020年春、星のや京都では1日1組限定でテラスで花見を楽しめる「おこもり花見滞在」の宿泊者プログラムを提供した。屋外に設置した16畳分のテラスで松花堂弁当やカクテルを堪能するなど、貸し切りで自由に過ごすことができる。4畳分の畳敷きのデッキでは野点（野外の茶会）も可能だ（実施時期は2020年3月25日～4月10日）。

一方、星のや東京では1フロアを貸し切るプランをスタート。安心してホテルライフを楽しんでもらうためのプランだ。各階の中心にはお茶の間ラウンジを備え、テレワークの活用場所として法人からの需要も見込んだ。在宅ワークが続き、社員同士のコミュニケーションがとれない企業にとって、贅沢な空間で

出所：星のや京都「おこもり花見滞在」プレスリリース

気分を変えて、ブレストや戦略会議、チームビルディングに行う場として重宝されている。星のや東京では、一般向けに結婚記念や卒業記念、法人向けに創立記念などにも客室6室やラウンジを24時間自由に使えるフロア貸切プランを継続して提供している。

分析 感染を避けつつ多様な利用の形を提案

多くの宿泊施設は感染対策を十分に行っているが、普段から共に過ごしている身内だけであればリスクはさらに減り、利用のハードルはぐっと下がる。在宅ばかりで生活や仕事をするのには精神的に限界もあり、多少高額であっても活用してみようという意向が働いた。

ここにビジネスチャンス！

プライベートな空間での特別な滞在を楽しんでもらうために生まれたフロア貸切プランだが、コロナをきっかけに家族との時間の大切さが見直される中、今後は身内と過ごす時間に対して金額が張ることを許容する傾向が強まり、アフターコロナにおいても、フロア貸切の高額プランへのニーズがより高まる可能性がある。星のや東京はコロナとは関係なく各フロアに共有ラウンジを設ける構造で設計したが、これからは通常の宿泊以外に、フロア貸切プランにも対応できるようなホテルが有望になるだろう。

さらにターゲットを広げ、若者を取り込んでいく場合、「いつも集まっている仲の良いグループ」にプライベート空間の提供をするという発想も有効だ。若者の間では、コロナ前からAirbnbで郊外の一軒家を借りて仲間で過ごすといった動きがみられた。「仲間と群れたい」「気の置けない友人たちと過ごしたい」という若者特有のマインドに対し、おひとり様向けの割引でもなく、家族割でもなく、いつものメンバーで利用することに対する割引「いつメン割」があれば、利用者のすそ野はぐっと広がる。今後は、こうした“いつもの仲良しメンバー”をターゲットに、宿泊だけでなく、レストランや施設利用、その他のさまざまなサービスを仕掛けていくと、若者の心をつかむ端緒となる。

TOPIC 11

聴くコンテンツ

Before

オンラインでは
動画や映画が主流

After

聴くコンテンツで
“ながら視聴”

COUNTRY

米国

現象　おうち時間を支援するサービスが人気

世界的にステイホームが広がる中、米国では、おうち時間での新習慣を充実させたり、支援するサービスがヒットしている。キッチンウェアブランドの「Equal Parts」は、料理の時間をより楽しめるように、そうしたシーンにマッチしたBGMのプレイリストを音楽配信アプリのSpotifyを通じて提供。単に商品を提供するだけでなく、料理の体験価値をさらに高めるユニークな取り組みだ。

一方、自宅周辺の散歩や家事、あるいは移動手段としてマイカーの利用が増える中、ながら視聴ができるオーディオブックにも人気が集まった。アメリカでは、著者自ら朗読するもの（例：ミッシェル・オバマの「マイストーリー（Be coming）」やアンソニー・ブルダンの「キッチン・コンフィデンシャル」など）、有名な俳優が朗読するもの（例：メリル・ストリープが読む「ハートバーン」）など多彩で、人気の秘訣となっている。例えば、全米の図書館と提携し、スマホやタブレットから無料でオーディオブックを借りたり、有料で購入できるアプリ「Libby（リビー）」は、コロナ禍でダウンロード数を大幅に伸ばした。

分析　目が疲れないコンテンツに商機

近年、YouTubeの動画や映画作品などオンライン上ではリッチなコンテンツのニーズが高かったが、目が疲れたり、視力に影響が出るなど負の側面も取りざたされている。映像を見ている間は他のことができない点もマイナス要素だ。その点、耳からのコンテンツであれば、目は疲労せず、ながら視聴もできるため非常に効率的。コロナ禍で時間の過ごし方を考える機会が増える中、せっかくなら、家事や散歩の間も学びや娯楽の時間に当てたいという要望が高まった。

ここにビジネスチャンス！

日本でも以前からオーディオブックは流通しており、市場が徐々に拡大している。Amazonが提供するサービス「Audible（オーディブル）」では、日本の有名俳優が朗読する商品も展開されているが、2020年には"聴く映画"として、堤幸彦監督が手掛けた『アレク氏2120』が配信されるなど、「耳」のコンテンツはさらに進化を遂げている。今後、こうした聴く映画、聴くドラマは盛り上がりを見せる可能性がある。朗読も含む耳コンテンツは、俳優や声優が活躍する新たなビジネス領域になることも考えられる。

また、在宅のリモートワークが増え、常にパソコンの画面を見るのが日常となった結果、目はずっと使われているが、「ながら視聴」できる耳は長時間空いているという状況も生まれている。映画などのコンテンツを聴きながら仕事をするのは難しいが、一人仕事がはかどることが科学的に証明されている音楽や環境音の提供など、空いている耳を狙ったニッチなサービスも考えていくべきだろう。

出所：Audibleプレスリリース

TOPIC 12

動画配信×専用ルームウェア

Before

いつもの部屋着でネットサーフィン

After

おしゃれな専用ウェアでホームシアター

COUNTRY

オーストラリア

現象　ファッションブランドとコラボ

オーストラリアのケーブルテレビや有料動画配信事業を手掛ける「Foxtel」が、新たにローンチした新ストリーミングサービス「Binge」では、ファッションブランド「The Iconic」とタイアップ。コロナ禍のロックダウン期間中、家で快適に長時間テレビを視聴するための「インアクティブウェア（アクティブでないウェア）」ラインをリリースした。

オーストラリアでは57％以上がロックダウン中に従来の2割増しでストリーミング視聴を楽しみ、2人に1人が快適な格好で視聴したいと思っているという同社調査結果から、贅沢で、おしゃれなインアクティブウェアを提供し、ユーザーにさらにテレビの世界にどっぷり浸る現実逃避の時間を提供した。ユニセックスなウェアラインで、オーストラリア人モデルTahnee Atkinsonがブランドアンバサダーを務める。

分析　「いかに快適に過ごせるか」が大事

エンターテインメント企業が、自社のサービスを使っているユーザーの生活をさらに彩るために、長い視聴時間も快適に楽しめるウェアをファッションブランドとコラボで提供する極めて斬新な企画。新規性もさることながら、徹底的に視聴の体験価値を高めようとする試みがユーザーの心をがっちり掴んだ。

ここにビジネスチャンス！

日本でも在宅や近所の買い物に適したワンマイルウェアが話題になったが、Netflix（ネトフリ）が爆発的に流行る中、コンテンツ側から発想した最適な「ネトフリ視聴専用ウェア」を、機能面も含めてアパレルメーカーと共同開発して展開することは有効な手となる。さらに、快適な視聴を可能にするソファやクッションなども考えられる。こうした次元や領域を超えた新発想の商品やサービスが、新たな生活様式では重要となり、話題性とニーズを捉える可能性が十分にある。

これまでファッションには人からどう見られるか、という他者の目が重要な領域だった。しかし、おうち時間が増える中、今や「fashion for others（誰かのためのファッション）」ではなく、「fashion for me（自分のためのファッション）」という意識が根付き始めている。つまり、「自分がいかに気持ちよく快適に過ごせるか」が選ぶ際の大きな基準となり、今後はその点をより重視した商品開発がヒットのセオリーとなるだろう。

TOPIC 13

庭消費

Before

友人と
屋内ホームパーティー

After

庭など屋外が
新消費ゾーンに

COUNTRY

英国

現象 換気の良い屋外で娯楽を楽しむ

英国の戸建て住居は基本的に庭付きであり、ロックダウンのさなか、その庭を活用して旅感覚やアウトドア体験、娯楽を楽しむ人が増えた。屋外で使えるTVプロジェクターやスクリーンの購入者が急増し、換気の良い庭に設置して親せきや友人、近所の人たちと距離を置いて座って映画やスポーツ観戦を楽しむことが人気だ。大手スーパーの店頭などでも屋外TVが目立つようになっている。また、プロスポーツを競技場やスポーツバーで観戦できない中、パティオ（中庭）にTVを設置し、試合中継を放映するバーも増えている。

一方、同国では外出自粛を受け、ホットタブ（屋外用ジャグジー）のセールスが急上昇。人々は自宅の庭に設置し、リゾート気分を味わっている。eBayではロックダウン中の2020年3月22日から6月6日にホットタブの売り上げが前年比276％も向上。さらに4月5日から11日の間だけに限ると、前年比1000％の売り上げアップを記録したという。

分析 コロナ禍では換気の良さが求められる

自宅にしろ、店にせよ、屋内はコロナの感染リスクが高く、換気に気を配らなければならない。その点、庭など屋外であれば安全度は高まり、換気の心配も無用。そこに目を付けた英国の市民の間で、庭で快適に過ごしたり、娯楽を楽しめるツールの人気が急上昇した。

ここにビジネスチャンス！

国内外を問わず、コロナをきっかけに、自宅の庭や近くの店の屋外スペースなどが注目されるようになり、今後、これらが"新消費ゾーン"として、市場が伸びる可能性は高い。日本でも近所の人たちで集まり、大画面でラグビーなどのスポーツ観戦をする機会は増えており、屋外で活用可能なテレビやスクリーン、プロジェクターのニーズは高まりそうだ。あわせて、屋外用の椅子やテーブルなどの家具、ファンやヒーター、それらをパッケージにしたスポーツ観戦セットなども有望。また、ホットタブなどを設置して旅行気分を味わえる「自宅リゾート」もトレンドになる可能性がある。

ただし、こうしたツールを置く場所を確保するのは、手狭な庭しかない都心では困難。ビジネスを仕掛けるなら、郊外や地方に商機があるだろう。また、庭が近所の人たちとの社交場になることは、コミュニティの再生にもつながる。昭和40年代、固定電話は全家庭に普及しているわけではなく、ない家はある家に借りに行くのが当たり前だった。テレビもある家の前に近隣住人が集まり一緒に見るのが普通だった。普及率が上がったため、今では昔話になってしまったわけだが、コロナ禍を経て、いつか見た古き良き時代の光景が再現される、いわば「昭和2.0」のような現象が起こる可能性がある。

一方で飲食店も屋外スペースの積極的な活用を視野に入れたい。オープンテラスのスポーツバー、屋上や遊休地、公共スペースを活用した娯楽付きレストランなど、屋外型飲食ビジネスがヒットの鍵となる。

TOPIC 14

非接触型ギフト

Before

玄関で配達員から
商品を受け取る

After

郵便受けに入れてもらい
非接触で受け取る

COUNTRY

英国

現象 コロナ禍でサプライズギフトが人気

英国では外出制限期間中、郵便受けに届くワインやフラワーギフトの需要が高まった。日々、鬱々として過ごす人々にとって、家族や友人と直接会えない中でのサプライズギフトとして、贈る側も受け取る側も喜びや癒しにつながり、心を掴んだ。ワインは平たい形状のボトルを採用し、ポストに入れやすい工夫が施されている。また、オランダでは郵便受けに届けられる配達用のアップルタルトやスイーツキットなどが登場した。

分析 郵便受けの新しい使い方の提案

宅配では、玄関口で配達員から商品を受け取る必要があり、感染防止の観点から抵抗感を抱く人もいる。郵便受けであれば、完全な非接触で品物の受け取りが可能であり、より安心できる点がメリットだ。加えて、郵便受けを開けた瞬間にギフトが届いているサプライズ感も利点といえる。古くからある郵便受けの新しい使い方の提案が受け入れられ、利用が広がった。

ここにビジネスチャンス！

日本でも「Bloomee」「Flower」など月額定額制で郵便受けに毎月花が届くサブスクサービスが若者に人気となっている。配達員と接触する必要がなく、郵便受けを開けて登場するサプライズ感も新しい。花以外

郵便受けに入る形のフラワーギフト(著者撮影)

にも、郵便ポスト向けに平たく最適化されたワイン、その他、郵便受けに入れられるサイズのギフトの商品化、サービス化はチャンスがありそうだ。実際、米国ではコロナ禍のバレンタインの期間中、ウイスキーやテキーラのミニボトルをボックスタイプのカードにはめ込んだ「飲めるバレンタインカード」を配達で贈ることがトレンドになった。「NIPYATA! Cards」の「Drinkable Cards」という商品だ。日本でも洋酒に加え、日本酒や焼酎のミニボトルを挿入したカードを郵便ポストに送るサービスがあれば受けそうだ。

ポストの方も、ギフトが届くことを想定し、大容量タイプ、商品を入れやすい受け口など、構造を工夫して「ギフト対応」として展開したり、メーカーやサービス提供者が専用ボックスとして配布するアイデアも有効だろう。

ただ、日本は、ニューノーマルに合わせたパッケージデザインや形態の開発では、まだ進みが遅い。ワインの事例のような、完全非接触かつデザイン性の高いもの、あるいは、パッケージそのものが収納インテリア（常備棚などスタッキングラック）になるデザインであれば、利用客は増えるだろう。非接触・非対面は感染予防の側面はもちろんのこと、直接受け取る必要がないという利便性があることから、今後コロナが収束してもニーズは続くだろう。

TOPIC 15

マイクロツーリズム

Before

楽しみは
贅沢な海外旅行

After

身近な地域へ
再発見の旅

COUNTRY

米国

現象　自宅から200マイル以内の旅行に注目増

海外旅行が難しくなり、身近な旅の目的地を再発見しようという動きが世界中で広まっている。日本でも「マイクロツーリズム」と呼ばれる新しい領域だが、Airbnb（エアビーアンドビー）では、パンデミック以降、自宅から200マイル（約320キロ）以内にある宿泊施設の予約が爆発的に伸びている。車や公共交通で安全に行ける範囲で旅を楽しみたいというニーズが高まっている。

分析　足元を見直す新しい旅のかたち

安心・安全志向もさることながら、昨今は海外や遠出の旅行に目が行きがちで、灯台下暗しの言葉どおり、身近な地域のことを全く知らない人も多く、情報を得たり、実際に行くことで改めてその魅力に気付くケースも多い。それに合わせて、ホテル側も海外観光客狙いから、地域や近隣都市の住人狙いに、重点をシフトする事例も目立つ。

ここにビジネスチャンス！

日本でも、コロナ禍ではAirbnbを使って近隣地域の部屋を確保し、若者たちが集まって「宅飲み」をするのがトレンドとなった。また、近場の高級シティホテルに仲間と泊まって、バカンス気分を楽しむ「ホカ

DISTANCE　SHOPPING　ENTERTAINMENT　LUXURY 4　DATA　COMPANY　LOCAL

ホカンスのイメージ
出所：ニューオータニ プレスリリース

ンス（ホテルとバカンスを合わせた造語）」も流行している。コロナをきっかけに、旅は遠距離から近距離にシフトしており、仲間との宅飲みプランやホカンスプランを積極的に売り込むことが、効果的なアプローチとなる。成功事例が出れば、他の世代に広げることも有効だ。

また、地域在住者に向けたマイクロツーリズムの情報発信サイトやツアー企画、MaaS（Mobility as a Service）を活用したルート開発なども有望。近隣で共通の趣味嗜好を持つ人たちを集めたミニツアーの企画やSNSコミュニティの創設、受け入れ側のホテルのマイクロツーリズム仕様への一部転換、都心近郊の中堅ホテルのビジネス需要以外の機能強化など、無数のビジネスチャンスが広がっている。足元を見直す新しい旅の形が、今後はスタンダードの一つとなる。

一方、最近では、地方自治体が発信主体となるオンラインを使ったバーチャル旅行に、試食や料理教室などを組み合わせたオンライン体験コンテンツも増加している。ふるさと納税ECサイトなどで地域の特産品を応援する動きも目立ってきている。海外など遠出をせず、国内の魅力を再発見し、地域の生産者を支援することは一つの大きな流れになっている。

TOPIC 16

新ノマド族

Before

仕事はオフィスが
当たり前

After

車中泊の
新ノマド族も出現

COUNTRY

米国

現象　コロナ禍でキャンプブーム到来

米国では、キャンピングカーや超大型RV車を駐車して宿泊可能なキャンプ場での「RVパークステイ」がトレンドだ。コロナの影響で国内旅行の需要が増加し、感染対策で屋外を好む人が増えたことが人気に拍車をかけている。だが、多くのキャンプ場やRV車ではWifi環境が整っていない点がネック。そこに目をつけたサンフランシスコが拠点のスタートアップ「Kibbo」は、リモートワークが可能なWifi環境や冷蔵庫、キッチンを備えた共有スペース、仕事ができるコワーキングスペースが整った会員制のRVパークを展開した。正会員（月額150ドル）になると、クラブハウスの使用が許され、さらに月額995ドル支払うと、Kibboの全クラブハウスに何日でも宿泊可能なオプションがある。

分析　アウトドアビジネスに大注目

ロックダウンが続き、都市部の狭いアパートの生活と高い家賃にうんざりしていた生活者（特に若者）のニーズを捉えて急伸した。現在は利用希望者が殺到し、会員になるためのウェイティングリストができているほどだ。2021年にはシリコンバレーやLAにも拡大予定である。

出所：Carstayプレスリリース

ここにビジネスチャンス！

日本では、コロナ禍でキャンプが大流行した。お笑い芸人のヒロシが、一人でキャンプを楽しむ「ソロキャンプ」の達人として注目を浴びたことが引き金となってソロキャンプ人気に火がつき、一人から家族までさまざまな単位でキャンプ人口が増大している。そんな今だからこそ、アウトドアビジネスは大チャンスだ。

特に、キャンピングカー、バンのレンタルやシェアリング（オーナーと借り手のマッチングサービス）が新しいジャンルとして注目され、車中泊は新たな旅のキーワードとなっている。需要を見込み、車中泊スポットを提供する観光地、自治体も増えている。

米国では、こうした車両を「家」と捉え、旅だけでなく、生活や仕事も行う「バンライフ」が活況を呈しており、日本でも今後はワーケーション分野にも広がっていくことが期待される。

施設側はWifiや仕事ができる機能の整備をすることで、車中泊で移動しながら仕事をする「新ノマド族」が足を運ぶようになる可能性が高い。自治体も協力して、新しい地域活性化策として導入し、地方にお金を落とす仕組みにすることも狙い目だ。

Beyond DATA

時代を拓く データ活用

世界の国々ではITを駆使して、従来には無いデータの活用によって、感染を封じ込め、医療を支援した。大切なのは、革新的なアイデア、テクノロジーを実装するスピード、そして決断力だ。日本は後手に回り、効果的なデータ活用は進まなかった。海外の思い切った事例を見れば、データによるリスク管理のハウツーが見えてくる。

TOPIC 01

感染防止テクノロジー

Before

個々が人混みへの移動を回避

After

データを使って入場者を選別

COUNTRY

中国

現象　移動歴から感染リスクを判断

新型コロナウイルスの影響が広がった2020年2月中旬、上海市政府は「微信（WeChat）」と「支付宝（Alipay）」内に、身分証明コードを表示する「随申碼（スイシャンマー）」を実装した。買い物や移動の履歴などから、重点監視地域やクラスター発生地へ行っていないことを証明できるツールだ。上海市内ではさまざまな施設の入り口で検温や入場者の連絡先、健康状態の記入が必要だったが、「随申碼」の採用で記入が簡略化された。公共施設、オフィスビル、ショッピングモールなどの入り口で提示が求められ、感染の可能性がある人を水際で探すことができる。

また、英国ではデジタル健康パスポート「V-Health Passport」が登場。アプリをダウンロードし、指定された医師にCOVID-19の検査を受けて陰性と診断されると、アプリ上の自分の顔写真に緑の丸印が付く仕組みだ。緑の丸印を継続するためには定期的に診断を受けて陰性を証明される必要がある。デジタルパスポートはセキュリティが高く受け入れられやすい。

加えて、PCR在宅検査キットを販売する企業とコラボし、検査結果をV-Health Passportに表示するサービスも提供。高齢者施設で親族と会う際や、航空機に搭乗するときに提示するなど、さまざまな用途を提案している。

分析　国により異なるパンデミック対策

すでに国民の大部分に浸透していたチャットアプリの「微信

（WeChat）」、決済アプリの「支付宝（Alipay）」の両プラットフォームを危機下で迅速に応用。政府が国民をデータで管理するシステムが他国よりも進み、国民もさほど抵抗感なく受け入れる、中国らしいテクノロジーを活用したパンデミック対策となった。感染の確率が相対的に低い人だけが施設やビル、モール内に入ることを許されるため、利用者にとっては安心材料となる。

ここにビジネスチャンス！

日本国内では、厚生労働省が新型コロナウイルス接触確認アプリ「COCOA」を開発し、リリース。スマートフォンの近接通信機能（ブルートゥース）を利用し、互いに分からないようプライバシーを確保しながら、新型コロナウイルス感染症の陽性者と接触した可能性について、通知を受けることができる。ダウンロード数は約2500万件に達している。だが、あくまで陽性者との接触という「点」の表示にとどまり、施設への入場管理に応用されることもない。一方で、中国の取り組みでは感染発生地域への移動歴という「面」のデータが記録され、入場管理にも活用。データを使ったより積極的な感染対策となっている。個人情報の扱い、政府による国民の行動監視の問題、科学的な根拠など論点は数多くあるが、「中国だからできる」と思考停止に陥らず、データ活用の可能性について検討や議論をする必要はあるだろう。

ただし、日本では、英国のデジタル健康パスポートのように、自ら行った検査結果をいつでもスマホで提示できるように持ち歩き、施設やサービスの入場の際に提示するような使い方が現実的かもしれない。野球やサッカーの試合、東京五輪のような国際大会での導入が考えられる。

また、スマホアプリ以外のツールを使って接触確認システムを運営しているのがシンガポールだ。アプリだけでなく、丸型でブルートゥース機能がある専用端末で、政府が提供する入退場記録システムにも対応する、携帯型のトークンを持ち歩くこともできる。このトークンはスマホにアプリをダウンロードしたくない人、ブルートゥース対応のスマホを持っていない人、そもそもスマホを持っていないか、扱いになれていない高齢者などもカバーが可能だ。

TOPIC 02

リアルタイム混雑情報

Before

現地に着いてから
行列や混雑を知る

After

アプリで事前に
混雑状況をチェック

COUNTRY

インド

現象　ソーシャルディスタンスで需要増

インドでは、ショッピングモールや公園から、薬局、食料品店、バス停、ガソリンスタンド、バス、電車など公共交通機関の車内に至るまで、ありとあらゆる場所の混雑状況が、事前にチェックすることで一目瞭然に把握できるアプリ「WaitQ」が人気を博した。店舗のQRコードをスキャンすると、行列ができていた場合の並んでいる人の数や、店舗の込み具合を確認することができる。

分析　増える混雑情報提供サービス

インドでは、さまざまな施設で現地に行って初めて混雑していることが分かり、ソーシャルディスタンスの保持が難しい状況が頻繁に起こっていた。そうした中、登場したアプリが「WaitQ」だ。適切なソーシャルディスタンスをとることができるか確認できるため、安全に利用したいユーザーから重宝され、利用が拡大した。

ここにビジネスチャンス！

日本国内では、JR東日本が車内の混雑状況をほぼリアルタイムに情報提供するほか、NAVITIMEが独自の技術で電車やバスの混み具合を推計して提供。さらにunerryがスーパー、ドラッグストア、ホームセンター、ディスカウントストア、百貨店・モールの5業種全国約4.9万店舗の曜日・時間帯別混雑傾向を可視化するサイト「お買物混雑マップ Powered by Beacon Bank」をニュースアプリ「SmartNews」で展開するなど、混雑情報を提供するサービスが徐々に増えている。

コロナ禍では行こうとしている場所に人が多いのか否かが安全性の観点から非常に重要な情報となったが、効率性や快適性を考えた場合、コロナ収束後も混雑情報の提供は付加価値の高いサービスの一つとなる。インドの事例のように社会のあらゆる場所の混雑情報が一覧できるプラットフォーム型や、ぐるなびや食べログなどが予約サービス以外の一項目として混雑情報を提供したり、あるいは各店舗・施設が自社のウェブサイトやアプリ上で提供するなど、混雑情報ビジネスは様々な形態で商機がある。

出所：スマートニュース プレスリリース

TOPIC
03

デジタル
配給制

Before

**マスクの買い占めや
転売が横行**

After

アプリを活用して
全市民に平等提供

COUNTRY

台湾

現象 マスク販売のシステム化に成功

台湾政府が、マスクの転売や高額販売を防ぐため、国内で製造される全てのマスクを買い上げて管理し、実名制で市民に販売するシステムを構築したことが、世界から高く評価された。導入を開始した2月当初は、薬局で行列に並び、健康保険証カードを専用端末に差し込み、読み取らせることで、1週間に1人2枚まで購入できる仕組みだった。その後、政府が開発したアプリによって、地図上に各薬局の在庫状況が可視化され、行列の緩和につながった。5月にはさらに進化し、アプリでマスクの購入予約ができるようになった。予約したマスクは指定の大手コンビニで支払いと受け取りが可能。コンビニの端末で予約をすることもできる。

台湾では健康保険証カードに名前、生年月日、病歴や服薬の履歴が分かるIDナンバーが記載されているほか、個人のデータを格納するICチップが埋め込まれている。そのためマスク販売のシステム化もスムーズに運ぶことができた。

分析 政府主導で情報弱者も手厚くサポート

アプリでの予約購入は、コンビニ以外の大手スーパーや薬局でもサービスが実施された。スマホを使いこなせない年配者も、店舗にある端末で手軽に購入予約が可能で、情報弱者のサポートも手厚かったことから、世代を問わず評判となった。最終的に、1週間に1人9枚まで購入できるようになり、ほぼ全ての市民にマスクが平等に行き渡るようになった。

ここにビジネスチャンス！

日本では、マスクの買い占めや転売が横行し、一時、店頭から商品が消えて多数の国民が手にできない状況が続いた。台湾のように政府が買い上げ、テクノロジーを活用しながら事実上の配給制にすることができれば、混乱を防げた可能性がある。ただし、台湾のICチップを埋め込んだ健康保険証カードのように、デジタル処理ができるカードを全国民が持っているわけではない。候補としてのマイナンバーカードは普及率がまだ25％程度。「2022年末にはほとんどの国民に普及させる」としているが達成は不透明だ。いざというとき政府主導で買い占めなどを排除し事実上の配給制にできるように、新設のデジタル庁がもっと知恵を絞るべきだ。

台湾はスーパープログラマーとして世界的に有名で、デジタル担当大臣に抜擢されたオードリー・タン（唐鳳）氏が主導し、マスクの販売システムを構築した。日本でも民間の優秀な人材を登用する柔軟な思考も必要だ。

TOPIC 04

ファクト公開

Before

フェイクニュースで
不安に陥る市民

After

正しい情報によって
正しく恐れる社会

COUNTRY

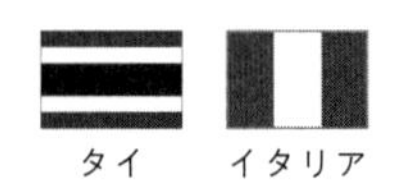

タイ　イタリア

現象 感染情報をリアルタイムで開示

タイでは、2020年2月から新型コロナ感染拡大に伴い偽情報、フェイクニュースが広がり、市民は不安に陥った。「レモネードを飲むとコロナウイルスを殺すことができる」「ヴィーガンの人はウイルスの感染率が低くなる」「日光を浴びるとウイルスが死滅する」などが代表例だ。そうした中、タイのIT企業「5Lab」は、正確な情報、すなわちファクトを提供するため、地図上に感染者が発生した日時、場所、人数などの情報を、政府の発表に合わせてリアルタイムで表示するウェブサイト「Covid Tracker」を開設。対応言語は、タイ語、英語、中国語、日本語。3月12日にサイトのリリースを発表すると一気に注目を集め、利用者は5日後には累計400万人に上った。

一方、イタリアでは、パンデミック回避のため、州や自治体ごとに市民の健康状態と行動範囲をモニタリングするアプリが開発された。アプリ利用者が毎日健康状態を入力することで感染者や感染が疑われる人の数や場所を特定し、移動経路の情報も取得できる仕組みだ。入力した症状から感染が疑われる場合、利用者には通知が送付される。アプリによっては自分の居住エリアの感染情報や危険地域を知らせる機能も付加された。

分析 個人情報保護は専門家がフォロー

タイのCovid Trackerは、感染情報の他、PCR 検査や治療に対応する病院、食料品や日用品が購入できる場所の情報もマッピングするとしていた。SNSなどで真偽が定かでない情報が流れても、それが正しいか否かのファクトチェックができる場として利用が進んだ。優れていた点は、感染発生情報だけでなく、除染済みの情報も更新された点。日本ではクラスターが発生したことだけが報道され、その後、除染されたなどの安全情報が発信されないため、エリアで営業する飲食店が風評被害に遭い続けるケースが多発した。データは後追いでしっかりアップデートして、エリアの「今」を伝えることが重要だ。

イタリアでは、行政側が市民の個人情報を収集することによるプライバシーの問題が懸念されたが、アプリ開発に個人情報保護を専門とする弁護士が関わり対策を施しているケースも多く、一定の歯止めがあることが受け入れやすさにつながった。

ここにビジネスチャンス！

日本では、2011年の東日本大震災のときも、千葉県で製油所火災が起きた後に「有害物質が雨などと一緒に降るので注意」というチェーンメールが流され、また2016年の熊本地震では「動物園からライオンが逃げ出した」というデマがSNSで拡散。2018年の大阪府北部地震では、「外国人は地震に慣れていないから犯罪をする」というデマがSNSで広がった。

コロナ禍では当初、日本各地でトイレットペーパーが品不足になるという偽情報が出回り、買いだめ騒ぎが起こるなど、フェイクニュースに踊らされた人たちも少なくなかった。その他、「新型コロナウイルスは、中国の研究所で作成された生物兵器である」「新型コロナウイルスは熱に弱く、お湯を飲むと予防に効果がある」「納豆を食べると新型コロナウイルス予防に効果がある」「武漢からの発熱症状のある旅客が、関西国際空港の検疫検査を振り切って逃げた」など、さまざまな偽情報、あるいは誤解を招く情報が拡散した。

こうした情報が即刻ファクトチェックされ、真偽が示されたり、感染拡大エリアの情報、その後の対応などのファクトを積極的に公開するウェブサービスの開設が、今後のパンデミックや災害に備えた仕組みとして重要になってくる。

TOPIC 05

ソーシャル職人

Before

有事の現場で
必要な器具が不足

After

個人が3Dプリンターで
作って提供

COUNTRY

ドイツ

現象

地方の医療機関を技術で支援

ドイツでは、医療用器具を必要とする医療機関と、3Dプリンターやレーザーカッターを保有する団体・個人を結びつける活動「Maker vs. Virus」が注目された。3Dプリンターなどを保有していても、緊急事態宣言下で注文や作業が止まり、使用していない団体・個人が多い中、その機器を利用し、地方の医療機関を支援する試みだ。具体的には、3Dプリンターなどの所有者が医療機関を支援する地域の「ハブ」に連絡して登録し、病院側からの発注に応じて、フェイスシールドなど医療に必要な器具を生産し、届けるというもの。設計図は公開されているオープンソースのものを使用した。

分析

プリンター所有者と医療機関の橋渡し

フェイスシールドについて、工場でラインを確保して本格的に生産することは時間もかかり困難。ある程度のロットも必要となる。その点、小回りが利く3Dプリンターであれば、近隣の病院が必要とする数を小ロットで即座に届けられる。所有者とハブの連絡はSlackを通じて随時行われ、必要な医療用機器をタイムリーに届ける仕組みが構築できた。

ここにビジネスチャンス！

パンデミックや災害などでは、現場で必要な機材が揃わないことも考えられるが、そうした場合に備えて、予め3Dプリンターなどの所有者を登録しておくプラットフォームの構築は、自治体や地域の有力団体が検討したい対策だ。コロナ禍では病院の機材にスポットライトが当たったが、医療機関向けに限らず、何か新しい機材が急遽必要になった場合に、フットワーク良くモノづくりができる3Dプリンターは有効。平時には所有者の情報を蓄積して、登録者同士もSNS上でソーシャルにつながり、有事の際にニーズのある機関と素早くマッチングして、個人を職人化できる仕組みが必要となる。

また、自治体が3Dプリンターを所有し、市民に安価に貸し出せる仕組みを平時から構築していれば、緊急時にも活用可能だ。あるいは、3Dプリンター保有者と必要な人をマッチングさせる仕組みなども必要だろう。

Beyond COMPANY

企業活動を
アップグレード

パンデミックが起これば、従来の枠組みや形にとらわれず、ニーズがあれば垣根を易々と超えて世の中のために力を尽くす。海外では、フットワークが軽く、社会貢献する企業の動きの数々が人々の共感を呼んだ。異業種参入、コラボ、新しい雇用のあり方。アフターコロナにも活かさない手はない。

TOPIC 01

緊急社会貢献

Before

災害やパンデミックは
BCP対策で乗り切る

After

緊急時は自社のリソースを
活用して社会貢献

COUNTRY

フランス

ドイツ

現象 自社技術を応用して不足品を製造

企業の社会的責任意識の強い欧州では、フランス国内のコスメブランドが、消毒用アルコールジェルの特別製造許可を受け、COVID-19に関連して寄付する動きが相次いだ。LVMHは、週12トンの消毒ジェル生産とマスク生産を行って寄付し、ロレアルは200mlの消毒ジェルを35万本、クラランスは400mlの消毒ジェルを1万4500本、シスレーは消毒ジェルを6トン、ロクシタンは中国への石鹸とジェルの寄付に加え、フランス国内にも7万リットルの消毒ジェルの寄付を行った。

隣国ドイツでは、コーヒーフィルターで有名なMelittaが、サージカルマスクの供給に着手。コーヒーフィルターの形をそのままマスク型として採用することで、既存の製造機械を使用した大量生産を可能にした。Melittaの子会社Wolf PVGが製造する不織布（メルトブローン）フィルターを含む三層構造で、BFE（細菌ろ過（捕集）効率）は98％以上。米国、ブラジルの製造工場でも一部のラインをマスク用に変更。EUの高性能マスクの統一規格であるFFP2、FFP3に準拠したマスク開発を進めた。近い将来、毎日最大100万枚への増産を計画し、既に北米、南米での販売を開始している。

分析 社会問題解決に企業が貢献

フランスのコスメ会社もドイツのコーヒーフィルター会社も、コロナ禍で社会に役立つ製品を、寄付などを通じて供給する体制を即座に組んだ。消毒液やマスクが不足しているという社会問題の解決に、いかに速く対応できるかを重視。新たに工場や設備を作るのではなく、自社の工場ラインを活かして行う意思決定のスピードと柔軟性が、「今まさに欲しい」というニーズにタイムリーに対応することを可能にした。

ここにビジネスチャンス！

日本では、シャープがマスク事業に参入するなど、コロナ関連の異業種に挑む動きがいくつか見られた。シャープは液晶パネルが製造可能なクリーンルームを活用してマスクの生産に取り組んでおり、緊急時に自社のアセットを活用して素早く社会貢献を果たす好例として、高い評価を受けた。消費者の反応調査では、同業他社に比べてブランドの好感度が大幅にアップ。今後は、非常事態が起こった際に自社はどのような社会貢献ができるかを予め想定し、発生時に即座に導入可能なプランを用意しておくことが重要となる。

シャープ製のマスク
出所：シャープ プレスリリース

一方、日本は花粉症でマスクをつけるなど、元々“マスク大国”。加えて、このコロナ禍でマスクが必須となり、若い女性を中心にマスクのファッション化が進んだ。例えば、マスクにつけられるワンポイントのアクセサリーや首にかけられるストラップ付きのマスクケースが流行。様々なアパレルブランドがおしゃれなファッションマスクをリリースし、「感染対策には不織布マスクが有効で布製マスクでは不十分」と考える"マスク警察"対策として、カラフルでファッショナブルな不織布マスクも登場している。日本にとっては、こうした洗練されたマスクのファッション関連ビジネスを、グローバルに売り込んでいくことも重要だ。

　また、タイでは、ロックダウンが段階的に解除され外出の機会が増えてきた2020年5月下旬から、ネックストラップ付のマスクがヒット。耳ひもの長さを調節でき、外食時には、外して首にかけたまま食事ができ、歩行中も同様に首にかけて携行し、必要な時にサッとつけることが可能だ。こうした海外のヒット商品も、マスク需要の高い日本に持ち込みたい。

Melitta製のマスク
出所：Melittaプレスリリース

TOPIC 02

時差ショッピング

Before

混雑する店内で不安を
抱えて商品選び

After

専用時間＋送迎で
安心・円滑に買い物

COUNTRY

米国

現象 Uberとスーパーが組んで高齢者支援

米国では、新型コロナウイルス感染のリスクが高い高齢者が安全かつスムーズに買い物できるように、開店前の1時間を高齢者限定の時間にする動きが広がった。そうした中、Uberがスーパーマーケットチェーンの「Stop&Shop」と連携し、買い物のために来店する高齢者の運賃を半額にする期間限定サービスを開始。対象は60歳以上で、Uberを利用する際に専用のプロモーションコードを入力すれば、最大20ドルまで割引を受けられる。週2回、午前6時から7時半の間に利用できるサービスとして提供された。

分析 双方の企業も生活者も三方よし

混雑する中での買い物は高齢者にとって様々な不安がつきまとう。自宅からスーパーまでの交通手段も懸念材料だ。「買い場」となるスーパーと「足」となるUberがタッグを組み、そうしたハードルを解消したことで、多くの高齢者が恩恵を享受できた。高齢者の中には早起きして行動する人も多く、サービス時間を早朝の時間帯に設定したことも奏功した。双方の企業も生活者も三方よしの好例だ。

ここにビジネスチャンス！

一社では解決が難しかった課題でも、異業種の企業同士が組み、互いの強みを生かすことによって、一気通貫のソリューションを生むことができる。日本は世界一の高齢大国で、令和の時代はよりコロナリスクが高まる要介護者、後期高齢者の大幅増は避けられない。「元気な高齢者が増える時代」だった平成とは様相は一変する。そうした日本こそ、異業種が組んで、高齢者割、高齢者時間帯の設定、高齢者限定サービスなどを様々な業界で展開すべきだ。

例えば米国のように、タクシーとスーパーが連携することで、高齢者に安全・円滑な買い物ソリューションを提供できる。この取り組みによって、高齢者の感染リスクを低減できれば、医療機関の負荷を下げることにつながることから、行政側が補助金事業として支援するのも一案だ。あるいは、平時であっても早朝を高齢者専用の買い物時間に設定したり、タクシーが乗り合いで高齢者を送客し、タクシー料金の半額をスーパーが負担するなど、新たなサービスが模索されても良いだろう。

今回のパンデミックのような危機的状況だからこそ、企業間の垣根を超えて多様な連携が求められる。これらを乗り越えていくことで、平時においても少子高齢化や限界集落など社会課題を多く抱える課題先進国の日本にとって、経験値として得られるものは大きく、「有事こそコラボで新たな事業を生み出す商機」と、ポジティブにとらえる姿勢が必要だ。

TOPIC 03

クリック&コレクト

Before

ネット通販で購入した
商品を自宅に配達

After

街中のあらゆる店舗が
受け取り場所に

COUNTRY

英国

現象　ECとリアル店舗の提携進む

英国では、外出自粛の影響で、Amazonを中心にEC需要が爆発的に伸びた。だが、配達員の負担が増えたり、時間が合わず受け取りができなくなる場合があった。そこで、注目されたのが、ECサイトやアプリで購入（Click）した商品を指定店舗に集めて（Collect）受け取れるサービス「Click & Collect」だ。以前から浸透していたが、コロナ禍で店舗滞在時間を最小限にしたい消費者によって、さらなる支持を得た。2020年は、小売店の80％がClick & Collectを導入し、前年比32％の増加。世界最大級の統計プラットフォームであるStatistaによると、Click & Collect の利用率は、22年にはオンラインの売り上げの13.9％になり、売上高は96億ポンド（約12兆円）に上ると予測されている。

さらに、各社が個別に連携する「進化系Click & Collect」が誕生。Amazon UKは英大手ファストファッションのNEXTと組み、商品をNEXTの店舗で受け取れるサービスを開始。スーパーのWaitroseは、カジュアルブランドのBodenのECサイトで購入した洋服などの受け取りを可能にした。

分析　「どこと組めば社会のためになるか」

どこの会社のサービスと自分たちの機能を組み合わせると社会のためになるかという発想で、ECとリアル店舗の協業が進んでいる。消費者にとって、配達の場合は自宅にいる必要があるが、店舗での受け取りであれば自分の都合が良い時間に取りに行けるのが利点。受け取り場所を提供する店舗にとっては、利用者が来店時に店内の商品を購入する「ついで買い」が期待できる。需給双方にメリットがあり、社会的な意義も大きいため、普及が促進した。

ここにビジネスチャンス！

日本国内でもECで購入しコンビニなど店舗で受け取ったり、駅やスーパーに専用ロッカーが設置され、認証番号を入力してサインをすると鍵が開いて荷物を受け取れるサービスが広まっている。だが、個別企業同士が提携して商品の受け取りが可能になるビジネスモデルは見られない。今後考えられるのは、小売店に限らず、例えば駅前や近所にある飲食チェーンやスポーツジムなどが店内の遊休スペースを荷物の置き場所として提供し、アパレルと連携してECで購入した商品を受け取れるようなアライアンスだ。受け取りの際、飲食やジムの案内につながるなど新たなタッチポイントとなる。

日本は人口減少社会だ。ECは右肩上がりで伸び、コロナ禍で加速し、今後、特に人口減少が著しい地方を先頭に宅配が大きな問題となる。つまり、宅配、運送の人材不足が顕著になり、地方ほど宅配料金が高騰することも現実的に起こり得る未来だ。そんな社会に備え、日本版「Click & Collect」の取り組みを進めるべきだ。

加えて、いまだECに対応できていない独立店舗や個人商店も、受け取る場所が確保され参入が容易になることで導入につながり、一気にDX化が進むことを期待したい。

TOPIC 04

寄付運営

Before

動物園や水族館は入園料が収入源

After

寄付によって動物を一緒に育てる

COUNTRY

米国

現象　ギフティング（寄付）による運営モデル

米国では、強制的に営業停止を余儀なくされている動物園や水族館が園内の生き物を守るために、Facebook、YouTube、Instagramなどを利用し、巣ごもり中の市民が楽しめる動画配信を行い、施設の運営費用の寄付を募った。

ペンシルベニア州のエルムウッド・パーク動物園では「ジラファソン」（キリンとマラソンの造語。マラソンという単語は募金を集めるときによく使われる）と銘打ち、ライブ配信を見て寄付を行うと、動物園の園長が寄付者に感謝の言葉を述べながら園内の動物たちに餌やりをする試みを実施。小学校児童たちがクラス単位でそれぞれの家からZoomにつないでキリンに関する質問をしたり、飼育員が怪我をしたキリンについて語ったりするシーンも見られた。

分析　動物を育てる一員になる疑似体験

自分の「寄付」を元手に、園長がライブ配信で餌やりをして即座に感謝を伝えることで、自身も動物を育てる一員になった疑似体験が可能になる。従来、動物園や水族館に行って展示を見るだけの部外者だった個人に当事者意識が生まれ、動物とのつながりが深くなり、より愛着を持つようになった。

ここにビジネスチャンス！

動物園や水族館は、入場料収入だけでは運営が難しい場合がある。特に地方の施設では、娯楽の多様化、少子化などの影響で来場者が見込めずに廃園になることも少なくない。そうした中、園内、館内の生き物を、地域住民を中心とした寄付によって一緒に育てる仕組みは、有効な運営モデルになりそうだ。寄付者はライブ配信で園長や飼育員と交流できたり、動物への餌やりやふれあいができるなど、特典を付ければ、利用者はより増えそうだ。

単に動物を檻の中に入れていただけの動物園から、動物の習性に従い展示の見せ方を工夫した「行動展示」で、旭山動物園が一世を風靡したのはもう10年以上前のことだ。その動物園に、新たに「動画展示」のチャンスが訪れている。つまり、コロナをきっかけに今の動画全盛の時代に対応できるように、スキルのない飼育員が動物を撮るのではなく、プロの手で、見せ方、編集が工夫された動画を作成して配信し、世界中の視聴者をターゲットにして寄付や収益化を図ることが、次のステップだ。

また、米国では、無機質だったり殺伐とした雰囲気だったオンライン会議に、癒しの要素を入れるアイデアとして、動物園用の出席枠を一つ設定。その画面に動物を映す形で貸し出し、会議に参加させるというユニークなサービスが人気を博した。入園者が激減する動物園が考えた新しい収益モデルであり、こうして入場料以外に収入を得る企画アイディアも重要だ。

TOPIC
05

社員シェア

Before

景気の悪化で
社員は解雇や自宅待機

After

企業間で社員を貸し出し、
雇用を守る

COUNTRY

中国

現象　広がる企業間の社員シェア

中国では、多くのレストラン、ホテル、映画館が大幅な売り上げ減に見舞われた。だが、社員の解雇や自宅待機を行わない企業も見られた。人員配置を効率化して業務から外した多くの社員を、人手不足に悩む他社に対して“貸し出し”を行ったのだ。

EC大手のアリババ傘下のスーパー「盒馬（フーマー）」は、こうした余剰人員を積極的にレンタル採用した。ECと実店舗を兼業する盒馬は、ECの利用が急増し、配達員を早急に増やす必要に迫られる中、他店からのレンタル社員を充てることで、消費者の需要に対処したのだ。中国では、こうして企業間で社員をシェアする新たな試みは「共享員工（ゴンシャンユエンゴン）」と名付けられ、この“新語”は今後も定着するとみられる。例えば、ある製造メーカーは、工場の稼働自粛期間が終わっても地方から社員が戻れなかったり、自主退職するなどで、従業員1000人中、出社したのはわずか100人にとどまった。そこで同社は地元政府の力を借り、休職中の人をレンタル社員として募り、工場の稼働を再開できたという。

分析　雇用／被雇用双方のセーフティネット

不景気になり需要が著しく落ち込んだ場合は、コストの多くを占める人件費を削減するため、解雇や自宅待機を強制するしか打つ手はなかった。だが、そうした事態でも特需に沸き、人手不足に陥る業界もある。雇用を守りたい企業と、一時的でも良いので人手が欲しい企業が、社員をシェアするという柔軟な発想を持つことで、弱い立場にある労働者に継続的に仕事を与えながら、将来的に需要が戻ったときの人員を確保するという、互いにメリットのあるシステムを生み出した。

ここにビジネスチャンス！

近年、働き方の多様化が進み、フリーランスが増加し、企業側が副業を認める動きも広がっている。もう一歩進め、従来であれば解雇するか、自宅待機にせざるを得ない状況になった時、労働力を必要とする異業種に一時的にレンタルする「社員シェア」の仕組みが広がれば、雇用者・被雇用者の双方のセーフティネットとなる。

今回のコロナ禍では、ECやデリバリーが非常に伸び、運送や宅配業者は人手不足だった。片や、対面サービスの業種は休業や営業縮小を余儀なくされ、人が余っていた。こうした業種間、事業者間で社員をレンタルできれば、雇用を守れると同時に、他の業種を一定期間経験することで、仕事や考え方の視野が広がり、経験値も高まる。

そもそも企業の業績は浮き沈みするのが当たり前で、日本はレイオフ（一時解雇）が認められておらず、業績悪化時の企業負担は重くなる。そうした意味でも、業績の良い会社にレンタルで人材を出せる仕組みや提携は助け舟になる。コロナ禍では、航空業界の社員を物流業者が一時出向として受け入れる動きが見られた。

既に日本でもレンタルが活発に行われているのがサッカーのJリーグだ。海外のサッカーチームに倣う形で実施。潜在能力が高いがまだ芽が出ていない選手を他チームに貸し出し、出場機会を増やして経験を積ませている。日本企業も先駆的なJリーグの発想を持ちたい。

TOPIC 06

デリバリー革命

Before

物流や運輸の仕事は
物や人を運ぶこと

After

デリバリー大手主導の
新支援プログラムが誕生

COUNTRY

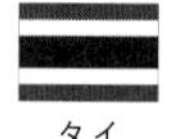

タイ

現象　配車大手とスーパーで小規模農家支援

東南アジア各国で、配車をはじめフードデリバリーなど様々なサービスを展開している配車アプリ大手のGrabは、2020年6月、COVID-19で経済に打撃を受けているタイ社会を支援するキャンペーン「Grab Loves Thais, Helping Thai People」を行うと発表した。

その中の一つが、農家支援プログラム「Grab Loves Farmers」。同国の農業省と協力し、地方の農家で収穫される果物をGrabアプリを通じて販売するという取り組みだ。

キャンペーンではこのほか、観光客の激減で仕事が減っているGrabタクシーの運転手へ食品や日用品を届ける「Grab Loves Partners」や、貧しい子どもに食事を届けるプログラムなどを実施する計画を打ち立てた。

分析　デリバリーのプラットフォーム化進む

「Grab Loves Farmers」では、消費者がGrabのサービスの一つとして提供されているスーパーマーケットの宅配サービス「GrabMart」を用い、バンコク市内10カ所の店舗から対象となる果物を購入できる。従来、Grabのようなデジタルプラットフォームの活用が難しかった農家にとって、販路拡大の絶好の機会となった。COVID-19によりオンラインを介したデリバリーサービスが定着する中、Grabのプラットフォームとして価値が高まっている。

ここにビジネスチャンス！

日本ではこの一年、飲食店が感染元とされ、再三にわたる営業自粛要請で大打撃を受けた。それに伴い、影響が波及したのが、飲食店に野菜や果物を卸している農家だ。

物流や運輸のプラットフォームは、単に人や物を運ぶだけでなく、発想を広げることによって、消費者との接点を持たないそうした地方の農家だけでなく、ものづくり工房の支援を担うこともできる。小売店やECと手を組み、アプリなどで手軽に購入したり、利用できるようになれば、ビジネスの可能性は格段に広がる。日本でも、運輸や物流のプラットフォーマーによって新たな支援や事業が生まれる"デリバリー革命"が期待され、今後来たるべき震災や災害を考えても重要だ。

構築するうえでは、Grabの取り組みが大いに参考になる。Grabは、タクシーの配車、フードデリバリー、買い物代行、決済サービスまでありとあらゆるニーズを一元化して提供してきた東南アジアにおけるスーパーアプリの雄だ。徹底的に地元密着を志向し、地域に根差したニーズを集めてサービスに昇華する「ハイパーローカル戦略」が奏功した。日本でも同じように、地域を囲い込み、徹底的なローカルサービスを提供できるプラットフォームの登場が待たれる。

TOPIC 07

支援広告

Before

広告は自社の商品を宣伝するための手段

After

シャッター広告で飲食店を支援

COUNTRY

スペイン

現象　ハイネケンのバー支援キャンペーン

スペインでは、ロックダウンによってバーが長期間の休業を余儀なくされ、普段にぎわっていた繁華街は“シャッター街”となってしまった。そうしたバーの窮状を見て、救いの手を差し伸べたのが、オランダのビール大手、ハイネケンだ。ハイネケンをクライアントとする広告会社のPublicis Italyと組み、閉まっている店のシャッターに同社の広告を提示する「シャッター広告」を実施し、その広告料を支援金として店側に直接支払うキャンペーンを進めたのだ。従来ビルの屋上やバス停に出していた広告の費用をシャッター広告に充当して実現した。

分析　出稿ブランドの企業姿勢に称賛の嵐

本来、休業補償を払い、つぶれないように支えるのは国や自治体の仕事だが、補償だけでは従来の店の売り上げには遠く及ばないケースもある。また、先行きが見えない中、店の存続に不安を覚え、気を落とすオーナーもいる。ハイネケンのシャッター広告には「今日はこの広告を見て、明日はこのバーを楽しもう」と、店の未来に一筋の光を当てるような内容が書かれ、オーナーに支援金と共に勇気を与えた。

ハイネケンの取り組みはSNSなどで全世界に拡散し、業務の垣根を越えて積極的に行動する企業姿勢に、欧米、アジア、日本の消費者から賞賛の投稿が相次いだ。

ここにビジネスチャンス！

バーや飲食店は、アルコールメーカーにとって自社の商品を顧客に宣伝し、提供する役目を担ってくれる欠かせないパートナーだ。そのパートナーが予期せぬ休業要請によって苦境に陥っていれば、支援の手を差し伸べたいというのが、メーカーの思いだろう。シャッター広告は、その思いをかなえる手段として非常に効果的だ。バーや飲食店の前を通る人への宣伝になり、SNSで拡散することで企業イメージがアップし、自社商品の販促にもつながる。費用を他の屋外広告の分から転用することで賄っている点も秀逸だ。

この取り組みは他のメーカーや広告代理店にとって、パートナーであるバーや飲食店を救うヒントになる。また、店のシャッターを広告メディアとして活用するアイデアは、コロナ収束以降も、店舗支援の一つの選択肢となり得る。

TOPIC 08

架空のリアル化

Before

ゲーム内のアイテムは あくまで架空

After

ゲーム内のアイテムを 現実に再現

COUNTRY

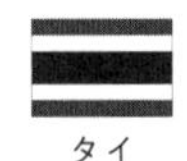

タイ

現象　架空の食物を再現し、口コミ広がる

米国のゲーム会社「Riot Games」は、東南アジアで自社タイトル「League of Legends」の販促のため、奇抜な施策を講じた。ゲーム内でプレイヤーの命を救う神秘的な果物のアイテムである「ハニーフルーツ」を、リアルの世界で実際にゲーマーが食べることができる食用フルーツとして再現し、タイ・バンコクの街中で提供したのだ。

制作（調理）はワールドクラスの腕前を持つシェフが担い、複数のフレーバーを用意。タイのゲーマーはバンコクの様々なスポットでハニーフルーツを入手して食べることができ、ゲームクリエイターの自宅への特別配達も行った。結果、SNSでハニーフルーツについて170万回のインプレッション（画面上の表示）があったという。

分析　インパクトある施策がSNSで拡散

テーマパークでゲームの世界を、限定エリアやアトラクション、レストランなどで再現することは日本でも事例はある。だが、キャラクターのエネルギー補給に用いるアイテムを実社会の食用フルーツとして疑似的に再現し、都会のあらゆるスポットで試食できる施策は斬新で、非常にインパクトのある販促だ。神秘的なアイテムを実際に口にできるというゲームファンなら誰もが試みたい稀有な体験を、わざわざテーマパークなどに足を運ばなくても手軽にできる点が評価され、その様子がSNSで拡散されることで、ゲームの認知拡大に貢献した。

ここにビジネスチャンス！

ゲーム会社の枠を超え、ゲーム中に登場するあらゆるアイテムを、実社会で再現して販促を図るアプローチは、他のゲームでも有効だ。例えば、ハニーフルーツのような架空の果物を実際につくり、都会のイベントや一定のスポットで試食用に配ったり、あるいは菓子メーカーと組んで、登場するエネルギー補給用アイテムを、コンビニ向けに商品化するなどのアイデアが考えられる。コアなファンだけでなく、物珍しさから接点の無かった消費者も手に取って認知のきっかけとなり、ゲームユーザーのすそ野の拡大に一役買うことにもつながる。ゲーム以外にも、アニメなどに登場する架空の食べ物を商品化するなど、あらゆる領域で試してもよいだろう。

Beyond LOCAL

地域はネクストステージへ

コロナになって見直しが進むローカル（地元）意識。グローバルに広がりすぎた反動、SDGsなどによる環境配慮や地域回帰の動きも相まって、パンデミックの中で、様々な活動が生まれ、浸透していった。アフターコロナでは、こうした新機軸がベースとなり、世界の津々浦々で新たなローカルが幕を開ける。

TOPIC 01

隣人ボランティア

Before

定年後世代中心のボランティア団体

After

社会的弱者を若者がサポート

COUNTRY

英国

現象　オンラインプラットフォームが続々

慈善団体の数も多く、チャリティーデーやチャリティーショップが国民的な支持を得ている英国では、新型コロナ拡大による都市封鎖などの危機的状況を打開するため、地域単位でボランティア活動が立ち上がった。特に注目を浴びたオンラインプラットフォームが「Covid-19 Mutual Aid UK」だ。首都ロンドンだけでなく、アバディーン、ブートル、ニュートン・アボット、スウォンジーなどの地方都市も含め、当初、英国内で200以上のボランティア団体が登録され、FacebookやTwitterなどで活動状況が拡散した。今では、世界中に活動が広がり、登録団体は数千に及んでいる。

具体的な活動は、高齢者や持病がある人など、外出が難しい社会的弱者のため、買い物代行、薬の受け取り、犬の散歩などを引き受けることだ。アプリ「Nextdoor（隣人の意味）」をダウンロードすると、Help Map機能でボランティアを必要とする場所がチェック可能で、Group機能でディスカッションを実施したり、参加ができる。

分析　ローカルを軸にした世代間交流広がる

どこの国にでも、非常事態で孤立しがちな社会的弱者のために自分の力を役立てたいと思う人は少なからず存在する。だが、どこに手助けを必要としている人がいるかを探すのは難しい。今回、ボランティアのプラットフォームが登場したことにより、自分の力を発揮する機会を見つけやすくなり、善意の人たちの間で利用の輪が広がった。

英国では、コロナ前は定年後の60代や70代がボランティア活動の中心的存在だった。しかし、コロナ禍となり、自宅にこもりがちな高齢者に代わって若者のボランティアが増えたことも、プラットフォームの活用が進んだ背景だ。ローカルを軸にした世代間交流は、SDGsの観点からも今後広がっていくだろう。世代間交流は世界的なキーワードであり、ボランティアとは異なる文脈だが、日本でも「幼老複合施設」と呼ばれる施設が増えてきている。

ここにビジネスチャンス！

都市では隣人同士の交流や関わり合いが薄れ、自分の近所のどこに誰が住み、どのような状態で、何の支援を必要としているかは、皆目見当がつかない人がほとんどだろう。ボランティアのプラットフォームがあれば、マップ上で居住する街を探し、登録することで、コロナ禍のような非常時に自分の余力を、身近な弱者のために活かすことができる。

ポイントは、「遠くの親戚より近くの他人」という意識を持つことだ。コロナで助け合いの精神が生まれている今こそ、都市部におけるローカルの人間関係を再構築し、今後増大が予想される外出困難な高齢者を、非常時だけでなく日常的に支える仕組み作りにつなげたい。アフターコロナで助け合う機運が盛り下がってからでは遅い。

実は、おうち時間が増え、時間を持て余している人も多い今は、近所のために自分の力を役立てる意識も芽生えやすく、そうした仕組み作りの好機だ。無償に違和感がある人のために、有償ボランティアのプラットフォームを作ることも一つの考え方。高齢者が少額の負担で困ったことを解決できれば、ボランティアも少しの収入を得られ、Win-Winの関係が作れる。有償部分を行政が補助金でカバーしても良い。健康な高齢者が有償ボランティアとして活動することも考えられる。高齢者の"4大ペイン（苦痛）"といわれる「収入」「健康」「孤独感」「生きがいの喪失」を解決することこそが、令和時代の高齢社会問題の大きなテーマとなる中、プラットフォームは、その手段の一つとなり得る。

また、今回の英国から始まった事例は、プラットフォーム上から街のグループに登録して弱者の支援を行う仕組みだが、より発展させ、例えばマップ上に支援を必要とする人と内容が可視化され、タップすることで個人単位で引き受けられるような個別マッチングのアプリができれば、より効率的かつタイムリーに支援でき、普及に弾みが付く。

TOPIC
02

コミュニティ薬局

Before

薬の販売を通じて
住民の健康を保持

After

薬局が地域
コミュニティの核になる

COUNTRY

中国

現象　地域薬局発のグループチャットが人気

中国では、マスク不足が始まった2020年1月下旬から、ある地域の薬局がチャットアプリ「微信」にグループチャット「朋友圏」を作成。入荷情報や消毒液の使い方などを発信する一方で、地域住民からも薬局での安全な並び方や予約制の提案の投稿があり、活発な議論が行われた。「会社が終わるまで取り置いてほしい」などの要望にも柔軟に対応。状況が改善された後も、参加人数は200人を下回っておらず、店側からはセール情報、健康情報、漢方ワークショップの開催の告知などが発信されて、住民たちからの質問にも随時対応している。参加者は、薬局周辺に住む数百世帯の住人と推定され、文字入力ができない高齢者がボイスチャットで参加する場合もある。高齢者の質問や要望に若者が解説したり、外国人の住民には英語ができる住民が返信するなど臨機応変にコミュニケーションが展開されている。

分析　コロナ禍で地域コミュニティが活性化

コロナ禍で人との交流が制限され、独居の高齢者が孤立しがちなケースが多かった。だが、「朋友圏」によって、身近に住む約200人が常に何かを発信し、自分の発信にも答えてくれるため、孤独感が薄れる効果もあった。購買層が幅広く、地域密着型で商売する「薬局」というジャンルの店がグループチャットを作成したことで、老若男女を問わず利用し、地域の住民が助け合うために情報交換を行う場としても機能した。

ここにビジネスチャンス！

日本でも地域密着型の薬局が、病院やクリニックに代わって、住民の健康相談に応えたり、セルフメディケーションを支援する動きが見られるようになっている。こうした活動のその先の展開として、薬局がグループチャットを立ち上げ、地域住民の交流を促す橋渡し役になることは有効だろう。

薬局だけでなく、若者から高齢者まで幅広い年代の地域住民が利用するスーパーやコンビニなどが、地域のグループチャットを開設し、コミュニティの核となって交流を促進する動きがあっても良い。スーパーやコンビニは、オンラインショッピングの利用が加速し、その存在意義が問われる中、地域に根差す”ローカル化”は生き残りの鍵となる。北海道を中心にコンビニエンスストア事業を展開するセイコーマートが、地域の求める商品展開やサービスを実践して支持されている例もあり、これにコミュニティ機能によって地域貢献を加えれば、ローカル内で唯一無二の存在となれる。

TOPIC
03

ローカルEC

Before

何でも便利な
Amazonで購入

After

地元の小売店を支援する
ECサイト

COUNTRY

スペイン

ドイツ

現象　ローカルの小規模店を買い物で支援

Amazonに頼むのではなく、地元の商店で購入し、地場の経済を支えられるECサイトが各国で立ち上がっている。スペインの「Slow Shopping」では、自分の居住エリアを選ぶと、その地域で登録された地元の商店の一覧が表示される。商店は、薬局、雑貨店、電気店、書店、八百屋、パン屋など様々。ネットショップを開設していない店舗でも、電話やメールで注文を受け、24時間から48時間以内に配達するシステムだ。

一方、ドイツ・ミュンヘンでも、紳士服店「Hirmer」、スポーツ用品店「Schuster」、書店「Hugendubel」、キッチン用品店「Kustermann」、寝具店「Bettenrid」の老舗5店が中心となり、ローカル企業や小規模店を紹介して買い物を奨励するECサイトを開設した。

分析　利便性よりも「心のつながり」重視

買い物では、利便性、網羅性があるAmazonへの依存度が高まり、地場の小売店が顧客を奪われる状況が加速した。だが、コロナ禍となり、市民の大半が何らかの影響を受ける中、顔の見える地元の商店の窮状を救いたいというマインドが広がり、タイムリーに開設された地元の小売店が一覧できるECプラットフォームの利用が浸透した。外出禁止令のさなか、実店舗として営業できなくても、このECサイトを通せば購買が可能なため、小売り側の登録も促進された。

販売者の顔を知っている安心感や地元の商店を守りたいとい

う気持ちの芽生えから、利便性よりも“心のつながり”を優先して買い物をする消費者が増えたことが背景にある。

ここにビジネスチャンス！

日本国内ではパンデミックとなり、小売店が単体でECを始めたり、商店街単位でECモールを開設する動きが一部で見られた。だが、個別の運用では認知が広がらず、効果的な集客や売り上げにつなげるのが難しいケースも散見される。スペインやドイツの事例のように、大きなエリアや全国の店舗を網羅するポータルサイトを設け、郵便番号を入力するだけで、地元の店が一覧できるような仕組みが整えば、ポータルにアクセスして地元店舗で購入する購買の流れが創出できる。

ローカルエリアであれば配送料や配達の手間が少ない優位性もあり、人と環境に優しいECとなる。高齢者は、気心が知れて、どんな商品が置いてあるかおおよそ見当がつく地元の小売店なら、オンラインや電話で頼みやすく、コロナで外出を控えたい時は、こうしたローカルECが命綱の役割も果たせる。利便性と地元購入を組み合わせた”ローカル版Amazon”の構築は、地域経済活性化と高齢者支援にも役立ち、一石二鳥だ。

TOPIC 04

サブスク野菜

Before

野菜や果物は
小売店で調達

After

農家のサブスクで
地産地消

COUNTRY

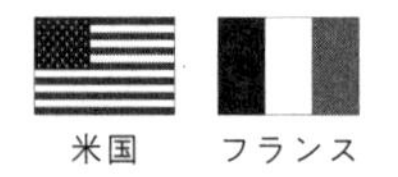

米国　フランス

現象　地産地消プラットフォームが盛況

米国では、地元の農家を支援して、野菜を買い取るシステム「CSA（Community Supported Agriculture、地域密着型農業）」が再注目された。定期的に配達される箱入りの買取野菜（CSAボックス）を1年間分まとめて先払いするサブスクモデルで、天候や収穫量によって収入が左右されがちな農家を支える。コロナ禍では、CSAボックスを店頭で直接販売するカフェやレストランも増え、飲食店のサポートも兼ねて購入する人も多くなった。会員にならなくても、30～60ドルでひと箱の注文も可能で、採れたての新鮮な野菜や珍しい野菜をお試し購入できると評判。今後は年間会員になる人も増えそうだ。

フランスでは、コロナ禍で屋外マルシェ（直売の市場）の休止が発表された後、国内の農業関係者を守るため、ルメール経済・財務大臣（当時）より国産農産物の消費が呼びかけられた。そうした中、地方自治体や農業組合が中心となって運営する、地産地消プラットフォームが盛況。ウェブ上で生産者と消費者をマッチングし、直接取引を促すシステムだ。

分析　生産者・消費者・環境のすべてに利点

ロックダウンで取引先の飲食店が休業し、農業関係者は収入源の一つを失った。そうした農業生産者の収入確保と、消費者の新鮮で安心な商品を求める要望、支援したい気持ちを満たし、地産地消で環境にも優しいマルチベネフィットな取り組みとして、従来から稼働していたダイレクトマーケティングや新たに作られたプラットフォームの活用が広がった。特にフランスでは、マルシェが主な食品の販売・購入の場であった生産者・消費者双方にとって頼れる手段となり、注目を集めた。

ここにビジネスチャンス！

農家の直売所は全国各地に設置され、消費者にダイレクト販売する仕組みはあるが、年間を通して安定的な収入を得られるようにはなっていない。季節ごとに様々な穀物や野菜、果物を生産する農家と消費者が個別に年間契約し、定期的に新鮮な食品を届けるサービスが構築できれば、生産者・消費者にメリットがある。フランスのように消費者が生産者を選ぶことができれば、地産地消の歯車も回しやすくなる。日本の若者の間では、絵画のサブスクサービス「Casie」や、香水のサブスクサービス「COLORIA」など、様々なサブスクが流行しており、野菜のサブスクも支持される可能性は高い。まずはお試しで購入し、気に入ったら年間契約を結べるようなプラットフォームビジネスが考えられる。

TOPIC
05

二重払いで
貧困救済

Before

貧困救済は
支援団体に募金

After

支払い代金
"二人分"で支援

COUNTRY

イタリア

現象 イタリア人の「善意の二重払い」

イタリア・ナポリには、伝統的に「カフェ・ソスペーゾ（保留のコーヒーという意味）」と呼ばれる習慣が根づいている。カフェ（バール）で1杯のコーヒーを飲むときに、裕福な人が2杯分の代金を支払い、もう1杯分はコーヒー代を払えない人のために使うものだ。こうした発想を応用し、「スペーザ・ソスペーザ（保留の買い物）」を行っているのが「Coldiretti（地産地消連合）」だ。「生産者から直接」をコンセプトとする団体で、特定の日に市場を開き、団体に加入している農家が直接消費者に販売する活動を行っている。その中で、利用者が自分の分の他に、購入できない人の分も寄付によって賄い、農家からも農産物の寄付を受けた。これらを元手に、貧困層に新鮮な野菜や果物、チーズなどを9600kg分、ローマにある小児病院に入院している子供の家族へ2000kg分が届けられた。

分析 農産物を利用した奉仕の仕組み

もともと自分がカフェを利用するとき、もう一人分を支払う奉仕の精神が息づいていたナポリだからこそ、買い物に応用された際にも自然と協力する流れができた。単純な金銭的な寄付ではなく、野菜を得られるという寄付者と同じ体験を、見知らぬ第三者にも同時に届けられる心温まる仕組みに共感の輪が広がった。

ここにビジネスチャンス！

懐に余裕がある人が、自分の分に加えてもう一人分の代金を支払い、それを金銭面の問題で利用できない人が誰でも使えるシステムは、日本国内でも様々な飲食店、小売店で活用できそうだ。例えば、ピザ店では1枚のピザの代金でもう1枚が無料で付いてくるサービスがあるが、その無料分の1枚を他の人がもらえるようにするなどだ。奉仕を受ける側の条件や個人情報の扱いなどは決める必要があるが、導入する自治体や地域、飲食チェーンがあれば、貧困層を救う仕組みの一つになる。

特に日本ではコロナ禍でシングルマザーの貧困がクローズアップされた。日本企業は、正社員の解雇をしにくいため、代わりにバイトや契約・派遣社員からカットし、そうした形態で働くシングルマザーに影響が及んだ。相対的貧困率も先進国の中で比較的高い。プロレス漫画タイガーマスクの主人公「伊達直人」を名乗って寄付をする「タイガーマスク運動」が多発的に起こり、支持されることからも明らかなように、苦境に立たされた人、家庭を救いたいという思いは、日本人の多くの共通意識。あえて代金を“二重払い”して、貧困救済に手を差し伸べるシステムが根付く土壌がこの国にはある。

TOPIC 06

窓際交流

Before

友人宅に
集まってゲーム三昧

After

遊びのある散歩で
コミュニケーション

COUNTRY

現象　通りに面した窓が地域住民の交流の場

各国で保育園、幼稚園、学校が閉鎖され、子どもたちもステイホームで友人に会えない日々が続いた。そうした中、各地でブームになったのが、通りから見える窓際にぬいぐるみを飾ることだ。ハッシュタグは「#GoingOnABearHunt（クマ探しに行こう）」。人混みを避け、人との距離を保つという条件付きで外出が奨励されたデンマークでは、住宅街を散歩しながら家々の窓際に飾られた「ぬいぐるみ探し」を行うのが、親子の楽しみとなったのだ。

地域ごとにFacebookなどで「ぬいぐるみ探し」のグループページが開設され、地域住民同士の交流にもつながった。活動は国境を超え、アメリカやイギリスでも拡大した。

分析　リアルな交流や絆の再構築

人同士が会うことを制限される中、通りから覗ける窓際を「コミュニケーションの場」としたことに成功の鍵がある。散歩をすることで在宅生活で問題になりがちな運動不足を解消でき、子どもはゲーム感覚で“熊探し”を楽しめて、親子や地域住民同士の交流にもなる、いいこと尽くしの取り組みになった。Facebook 以外でも、Instagramでは2万2000件以上の投稿が見られ、TikTokでも投稿が拡散している

ここにビジネスチャンス！

遠出が難しくなったことをきっかけに、家族や親子が近場で楽しむ方法が改めてクローズアップされている。日本では、コロナ禍に任天堂のゲーム「あつまれどうぶつの森」が大ヒットし、Netflixなど動画配信サービスが急伸するなど、おうち時間を楽しむツールは多い。一方で、家の外で遊ぶときの定番だった、カラオケやアミューズメント施設が感染拡大で利用しづらくなったため、世界的に見ても外のレジャーは一気にしぼんだ。欧米のように知らない人同士でも工夫し、親も子どもも皆で楽しもうという発想が弱い。

地域や町内会でもさまざまな企画の模索が進む中、“クマ探し”のような近所の散歩にオリエンテーリング的なちょっとしたゲーム要素を加える試みは、一つの選択肢となり得る。地域全体で協力し合うことで、一体感のあるコミュニティ作りにも役立ちそうだ。

TOPIC
07

新ナイトスポット

Before

**クラブやバーで
酒と会話を楽しむ**

After

恐竜のジオラマで
宿泊する新体験

COUNTRY

中国

現象　夜間アクティビティの需要が増加

中国では、パンデミックの影響で利用が激減した都市の各種施設は、再び利用者に戻ってもらうための施策を検討している。目玉となるのが、地元や近隣地域の利用者向けに、夜間のアクティビティを増やすことだ。7億人が利用し、旅行関連商品をオンライン販売するアリババグループの「Fliggy」では、夜のイベントで楽しむナイトツアーの商品数が増えており、利用者の半数以上が1990年代以降に生まれた若者層。つまり、若年層を開拓する上でも有効となる。需要を見越し、マリオットグループ、シャングリ・ラ・ホテルズ&リゾーツ、ベラージオ上海などの高級ホテルでは、パーティー、バーでのドリンク、ワークアウトイベントなど、日が沈んだ後の都会の人々のエンターテインメント需要を満たす夜間アクティビティを多数設けている。

一方、博物館やテーマパークでも、夜間のセッションを増やす動きが加速。上海海昌海洋公園や広東省珠海の長隆海洋王国、北京、上海、武漢の博物館などでは、夜間の入場券を販売し、人気だ。例えば、武漢自然史博物館では親子が館内にテントで宿泊できるツアーを実施している。

分析　非日常感の提供と話題性の向上

来場者を戻すため、夜に着目した新たな体験の提供に試行錯誤している。特に、高級ホテルが展開する夜のワークアウトや自然史博物館の宿泊ツアーは新鮮味があり、刺激的な体験を求めている都市の生活者の利用が進んでいる。

若年層や親子に受けたのは、通常では訪れることのない時間帯での体験で非日常感が味わえるからだ。コロナ禍で外出自粛が続き、日常生活への退屈を訴える人が増加。こうした中、夜間に博物館やテーマパークを訪れる非日常感は多くの人にとって刺激となった。

また、新たに夜間営業を始めることで話題性が拡散できたのも、コロナ禍でありながら集客できた理由だ。若年層にとっては、営業停止となったナイトクラブやバーの代わりとなる新たなナイトスポットとして、夜間アクティビティが注目を浴び、支持を得た。

ここにビジネスチャンス！

日本でも、夜のアクティビティの提供は、ホテルやその他施設が新たな需要を喚起し、利用者を取り戻す突破口となる。手軽に利用できれば、近場の楽しみに目を向け始めた地元住民の集客に一役買いそうだ。ポイントは、今までにはない施設の使い方の提案。例えば、恐竜の展示がある博物館で、太古の雰囲気を味わいながらテントで宿泊する体験は、擬似的に時空を超えた夜間旅行として、人気企画となるだろう。従来、売り上げがなかった夜間という時間帯を収益化する点でも、有効な施策となる。

TOPIC 08

社会貢献型店舗

Before

ブランドショップは
新商品を販売する場所

After

ブランドショップは
地域連携や社会貢献のハブ

COUNTRY

中国

現象 「Nike Rise」という新しいコンセプト

中国・広州では、NIKEが7月にオープンした新店舗「Nike Guangzhou」が話題になった。同店では今後NIKEがグローバルで推進していく新しいコンセプト「Nike Rise」が採用されている。店舗がその都市でのスポーツ愛好家のハブとなり、より地域と密接に関わりながら商品の販売だけでなく、新しい体験を提供していくものだ。店内ではアプリなどを通じたDX体験と共に、地域のスポーツイベントなどの情報も提供し、消費者と地域スポーツの連携を担う。また、地域のアスリートや専門家、インフルエンサーとも連携し、店舗でさまざまなイベントやワークショップなども開催する。「Nike Rise」のコンセプトは、世界各地で導入を進めていく計画だ。

また、米国では、黒人オーナーのレストランに限定したフードデリバリーサービスを行うアプリ「Black and Mobile」が話題だ。フードデリバリーのアプリはすでに世の中に出回っているが、黒人のレストランに特化したアプリは珍しい。黒人が経営するレストランを支援することで、黒人の雇用を増やしたり、彼らの食文化を広めるなど、多様な貢献が可能になる。

分析 ローカルスポーツの活性化促進

「Nike Guangzhou」の店内では、アプリのAR機能を使って足のサイズを正確に測定し、自分にぴったり合う商品を探すことができる「ナイキフィット」など、デジタル技術による先進的な体験ができる。加えて、地元のスポーツチームの試合情報、地域に根差した選手や専門家との交流も実現する。スポーツショップが地域の核となり、ローカルスポーツの活性化を促進する、従来にはない店舗の形態が、中国を皮切りに世界に広がろうとしている。

一方、「Black and Mobile」は、BLM運動などで黒人の人権問題が社会の関心を集める中、声を上げるだけでなく、積極的に支援しようとする動きに、賛同の輪が広がった。

ここにビジネスチャンス！

地域のスポーツ団体は、横のつながりを深める機会が乏しく、選手同士や選手と専門家、インフルエンサーが交流するような仕組みもあまり見られない。スポーツショップがハブとなり、その役割を果たすことは、地域のスポーツ愛好家にとってまだ見ぬ仲間との出会いや自身のモチベーションの向上などに資する動きであり、ショップ（メーカー）側にとってもスポーツ振興やファンマーケティングを推進する原動力になる。

最大のポイントはNIKEがローカルのつながりに重要性を見出した点だ。グローバルを意識していた企業が、コロナ禍において人々が地元への愛着や地域を応援したい気持ちが高まっていることに注目し、対応した好例となった。NIKEのような大手企業がローカルのスポーツチームとファンをつなぐハブになることで、流行や一時の感情に左右されない、ブランドと生活者の強固な関係性を築くことにつながる。NIKEの取り組みを参考に、他の業界でも大手ブランドの旗艦店が中心となり、スポーツに限らず、ローカルのハブを担うことは有効だ。

他方で、黒人経営のレストランを支援するアプリは、他のマイノリティでも応用が可能だ。日本でもさまざまな国から渡航した人たちが支援を必要としており、一定の国や文化に特化したフードデリバリーアプリは需要がありそうだ。

TOPIC
09

ソーシャル
ディスタンス公園

Before

公園は好きな
場所で楽しむ

After

公園では割り当てられた
区画で過ごす

COUNTRY

香港

現象　香港で始まったプライベートポット

公園は気軽に利用し、遊んだり、くつろいだりできる公共空間だが、コロナ禍では、一定の距離を保って安全に過ごしたい機運が高まった。そうした社会的要請を受け、香港の公園「The Grounds」で毎晩始まったのが、園内に「プライベートポット」と呼ばれる区割りされたスペースを100カ所設け、ウェブサイトで事前に予約して使う新しい利用の形だ。スペースにはテーブルや椅子、ランプが設置され、ゆっくりくつろぐことができる。

敷地内には巨大なスクリーンと最新の音響システム、ハイテクステージが設置され、映画や音楽などエンターテインメントを楽しみながら、隣接するフードホールで販売される様々な料理、スイーツ、アルコールを味わえる。飲食はスマホでオーダーすると店員が運んでくれるシステムで、ポットから出ることなく常にソーシャルディスタンスを保ったまま過ごせる点も魅力だ。

分析　安心して公共施設で過ごせる仕組み

公園など公共の場で家族や友人と楽しい時間を過ごしたい思いはあるが、混雑や他人との距離が気になって利用を躊躇する人たちは、少なからず存在した。そうした人たちに向け、楽しさと安全を両立させた施策が、プライベートポットの提供だ。利用する際は事前登録と健康の申告が必要で、入口での体温チェック、マスク着用、スマホからの注文・配達、ポッド間が

1.5m離れていることなど、安全を確保するためのさまざまなルール、仕組みが導入されており、安心して公共施設で過ごせることが、利用を伸ばした。

ここにビジネスチャンス！

日本の公園は、例えば日比谷公園などでは様々なイベントが開催されているが、香港のように常時区割りしたスペースを設け、毎晩映画などを上映し、家族、友人が楽しめる公の空間として提供されている例はあまり見られない。屋外で安全に配慮した空間を作り、市民に開放したり、料金を取って映画や料理を提供する施策は、まだしばらく続くコロナの中では意義のある取り組みといえそうだ。コロナ収束後も、開放感がある公園にポッドを常態化させて毎夜イベントを行い、飲食スペースとして活用することは、新しい公園の使い方として有効だろう。

TOPIC 10

新しい都市設計

Before

モビリティが中心の都市構造

After

「人のアクセス」を軸に都市を再構築

COUNTRY

米国　スウェーデン

現象　徒歩10分以内に公園や緑地を

コロナの感染拡大防止の観点から、自宅周辺での生活を余儀なくされ、改めて浮き彫りとなった課題が、生活者が生きるうえで必要なものにすぐにアクセスできる環境を整えることだ。米国では、ステイホームで運動不足やメンタル不調が問題になる中、国内の全ての住民が徒歩10分以内に安全で質の高い公園や緑地にアクセスできるようにする計画が立ち上がった。非営利団体「The Trust for Public Land」による「10-Minute Walk」だ。2050年を目標に、都市の大小を問わず公園や緑地を整備したり、新たな公園を作ったりする。すでにサンフランシスコでは、人々が距離を保ちながら運動ができるように、閉鎖したゴルフ場が公共の緑地に生まれ変わった。

一方、スウェーデンで立案されたのが「15分都市計画」だ。コロナウイルスによるロックダウンで世界中の都市や地域で生活者の活動範囲が局所化し、従来の「クルマ」の移動を前提としたものではなく、「人」を中心とした新しい都市のビジョンが提起された。コンセプトは、自宅から徒歩や自転車を使って15分以内で、日常のニーズを全て満たせるように、都市や地域を分割して、各所で機能を整えることだ。パリやバルセロナなどの都市では試行されており、スウェーデンでは全国の都市での展開が模索されている。

分析　クルマ中心からヒト中心の社会へ

従来、欧米ではクルマでの移動を前提とした都市計画が中心であり、アクセスよりモビリティを優先した考えのもとで、様々な都市機能が整備された。しかし、モビリティの使用が難しくなった今回のコロナ禍では、都市はたとえクルマで移動できなくても、人が生きていけるように設計されるべきで、「人のアクセス」を中心に再構築する機運が盛り上がっている。

ここにビジネスチャンス！

世界的にローカルの環境や機能を見直す動きが高まる中、日本でも早晩そうした活動が始まる可能性は高い。クローズアップされているのが、すべての人の様々な都市機能へのアクセス環境を整えることだ。今後は、都市計画を再検討したり、新たに打ち立てる際、こうした「人のアクセス」という観点が重要視されるようになり、導入が進むスウェーデンやパリ、バルセロナの情報収集や分析、それらのレポートをベースとした自治体へのコンサルティングなどがビジネスの種となる。

EPILOGUE

欧米で先行する“リベンジ消費”
3つに分かれるビジネスの行く末

コロナ禍において日本が“我慢”の二文字でじっと耐えている間に、さまざまなビジネスにチャレンジしてきた世界各国に遅れをとってきたことは、冒頭でも述べたとおりである。世界ではコロナ禍にどのようなビジネスが展開されてきたのか、ここまで紙幅を割いて紹介してきた。

加えて、日本はワクチン接種でも大きく先を越されていることも周知の事実である。このエピローグを執筆している2021年6月の時点で、多数の国民がワクチン接種を終えた米国や英国、フランスなどにおいて、マスク無しでレストランやカフェに集い、食事を楽しみながら談笑する映像がニュースで流れている。こうしたコロナ禍で失った時間を取り戻すかのような“リベンジ消費”が、ワクチン接種が先行した都市で繰り広げられている。

とはいえ、日本でも遅ればせながらワクチン接種が加速してきている。このまま国民の多くがワクチンを接種し、集団免疫を獲得できれば、国内でもリベンジ消費が巻き起こり、あらゆる分野のマーケットが急速に復活してくることは想像に難くない。欧米に比べて日本の有効求人倍率が大きく下落しているということはなく、国民の懐事情への打撃は、他国よりは小さい。リベンジ消費による揺り戻しは、海外よりも目立って大きくなる可能性すらある。

しかし、そうして消費が戻ってきたときに、注意しなければならないポイントがある。それは、アフターコロナの企業やビジネスは、3通りに分かれるということだ。

ひとつは、コロナ前と同じ商売をそのまま復活させて、「待ってました」とばかりに人が群がり以前の元気を取り戻すケース。従来から予約が取りにくかった老舗飲食店、人気の高かったテーマパークなどが好例となるだろう。

コロナ禍で進化したものが定番化する

もう一つが、コロナ禍でも何とか消費を増やそうと知恵を絞った結果生まれた商品やサービスが、そのままスタンダードとなって売れ続けていくパターンだ。例えば、「(塗った後に)色が落ちない口紅」。会食などでマスクを外したときも口紅がマスクに色移りせずに唇にしっかり残っているタイプが、マスク生活の中で大人気となった。特に若い女性の間では口紅は"落ちない"がもはや当たり前で、その機能がなければ「買わない」というのが本音だ。

つまり、進化してこの便利さがスタンダードになった消費者心理は、コロナが終わったとしても元には戻らないということだ。そこを見誤り、アフターコロナで色落ちしてしまう口紅を売っても、待っているのは、全く見向きもされないという悲劇だ。

一方、Eコマースもコロナ禍で完全に定着した。見方を変えれば、小売りが一気に進化したともいえる。この変化を重要視せず、アフターコロナの消費を期待し、たとえば百貨店が今までと同じように、いわゆるデパートコスメの対面販売で客を待ち受けていたら、思ったより客足が伸びないという事態に陥るかもしれない。Eコマースの便利さに味を占めた消費者が、引き続きオンラインを主軸に消費し、国内のECサイトで購入したり、自粛期間中にSNSを通じて知った韓国コスメに流れていったりしてしまう可能性もあるのだ。

あるいは、自粛で遠出が制限され、生活が近場に限定される中、部屋着としても近所を出歩くのにも使えるアパレルとしてヒットした「ワンマイルウェア」。アパレルブランドのGUなどが大々的にPRして人気を博した。そのリラックスできる着心地の良さをアフターコロナでも手離せずに、ワンマイルウェアは定番的な売れ筋となる可能性が十分にある。他の業界でも、このコロナ禍に進化した商品やサービスは数多くある。その中で消費者心理を考えたとき、何が残り、何がなくなっていきそうなのかは、慎重に吟味する必要がある。

消費者心理の変化を甘く見てはいけない

そして、最後のパターンが、消費が戻っても復活できず、そのまま消えていってしまうビジネスだ。商品だけでなく、飲食店や小売店、エンターテインメントなどでも、コロナ前は問題無く集客できていたのに、アフターコロナで客が戻らず、沈没の憂き目に遭うケースである。筆者は、実はこのケースが非常に多くなると踏んでいる。なぜなら、コロナにより、一年半以上にわたり、今までとは全く違ったイレギュラーな生活を強いられる中で、消費者心理は、以前とは異なる形に大きく変容してしまったからである。

一例を挙げるとすれば、本書でも「Beyond LUXURY」の章で触れているように、「贅沢」の概念が変わったことである。今まではとにかく高額で、きらびやかで、特別な「商品」を購入したり、「サービス」を受けたりすることが、大半の人々が考える贅沢のあり様だった。

だが、コロナになり、大切な家族や友人と過ごしたり、何かを一緒に作ったり育てたりする「時間」こそが贅沢であり、さらに「自分のためにカスタマイズされた商品やサービス」こそがプレミアムな価値であると、人々の考え方は劇的に変化した。すなわち、贅沢の概念が「高額な商品やサービス」から「時間」や「パーソナライズ化されたもの」にシフトしたのである。

これらだけをとってみても、コロナ前と同様に単に値が張る華美で贅沢なものを提案するビジネスは、飲食でも小売りでもホテルなどのサービスでも、支持されにくいリスクがあることが理解できるだろう。そして実際、そうしたケースが増えるのではないかと、われわれ筆者は見ている。このコロナ禍の一年半における消費者の変化を、「大したことは起きていない。どうせ元に戻るだろう」などと甘く見ていると、思わぬしっぺ返しを食うことになる。

本書の海外事例を国内向けにアレンジ
意識したい「若者」「グローバル」の視点

では、どうすればよいか。その答えが、まさに本書で紹介している海外事例だ。コロナ禍で“進化”したビジネスを集めた69の事例を再度つぶさに見つめ直し、アフターコロナの消費者心理と、自分の会社やビジネスの状況を掛け合わせながら、参考になるものをピックアップするのである。当然のことながら、海外事例をそっくりそのまま国内で展開しても意味はない。そこは長年培ってきた経験やスキルを総動員し、国内のマーケットや消費者に合うようにアレンジして展開しなければならないことは言うまでもない。

ただし、ここで難しいのは、アフターコロナの消費者心理をどう読み解くかということだ。筆者は、その最良の方策が、プロローグでも解説し、本編でも随所で指摘してきたように、「“若者”と“グローバル”の視点を持つこと」にあると考える。今までの歴史が物語るように、グローバルで起こった消費者マインドの変化はいずれ日本にも波及して定着する可能性が高く、SNSなどでそうした海外の変化をいち早くキャッチし、アーリーアダプターとして国内で広めていくのが、感度の高い国内の若者の特徴だからだ。

もし、英語など外国語が得意で、グローバルの動向を追えるのであれば、ウォッチし続けること。そうしたスキルがないのであれば、国内の若者の間で流行している商品やサービス、考え方、遊び方を常に情報収集し、なぜ流行しているのか、彼ら彼女らは何を考えているのかを自分なりに分析していくこと。この意識を習慣化することによって、アフターコロナの消費者心理の傾向が、必ずや見えてくるはずだ。

加えて、ワクチン接種が先行する欧米などの海外では、アフターコロナ時代の新たなビジネスも次々と立ち上がってくるだろう。そうした海外情報を率先して入手し、本書で挙げた事例に加えたり、アップデートさせる思考力が極めて重要となる。本書をきっかけに、読者の皆様がグローバルのトレンドやビジネスにアンテナを張る意識が身につき、それをヒントに自社ビジネスを見直し、進化させ、未来の可能性が広がっていくといった好循環が生まれることを切に願う次第である。

参考webサイト

PART 1

01 VRオンライン会議

https://www.engadget.com/facebook-infinite-office-181634992.html
https://meetinvr.atlassian.net/servicedesk/customer/portal/2/topic/e62e0f02-0d94-4e5e-88c7-cb0523b688b9/article/571604999
https://www.oculus.com/

02 新出会い系サービス

https://zoomer.love/
https://hinge.co/
https://quarantinechat.com/
https://dialup.com/

03 バーチャル冠婚葬祭

https://eternify.es/

04 参加チョイス型オンライン飲み会

https://sensortower.com/ios/gb/life-on-air-inc/app/houseparty/1065781769/overview?locale=ja

05 デジタル教科書

https://www.namibox.com/
https://www.chandashi.com/android/downloadandincome/appId/233336/market/vivo/country/

06 スマートミラージム

https://www.mirror.co/
https://shop.lululemon.com/story/mirror-home-gym
https://www.onepeloton.com/
https://smartmirror.geeklabs.co.jp/#smartmirror

07 画面旅行

https://www.longleat.co.uk/news/longleat-virtual-safari-series
https://www.thailandtravel.or.jp/3d-virtual-2/
https://www.tourismthailand.org/Articles/virtual-tours

08 オンラインドクター

https://www.alodokter.com/jangan-termakan-isu-ini-fakta-penting-vaksin-covid-19
https://careclix.com/

PART 2

01 非接触サービス

https://weibo.com/p/1006067441046380/home?is_all=1#_loginLayer_1611909654561
https://www.kroger.com/
https://www.caper.ai/
https://www.kroger.com/i/ways-to-shop/krogo
https://ubamarket.com/

02 無人配達

https://wing.com/how-it-works/
https://blog.wing.com/2020/12/hindsight-is-2020-five-lessons-from.html

03 ネオ直販

https://www.freshhema.com/
https://www.ebrun.com/20201229/416744.shtml?eb=com_chan_lcol_fylb
https://ir.kuaishou.com/news-releases/news-release-details/kuaishou-technology-announces-details-proposed-listing-main-0
https://note.com/kauche/n/n5ce0f7752115

04 ライブコマース

https://shop.lululemon.com/story/mirror-home-gym
https://www.cnbc.com/2020/06/29/lululemon-to-acquire-at-home-fitness-company-mirror-for-500-million.html

05 VR店舗

https://www.nuorder.com/retailers/
https://www.thestorefront.com/

06 バーチャル内見

https://www.zillow.com/
https://www.redfin.com/news/redfinnow-expands-to-palm-springs/
https://www.redfin.com/news/real-estate-agents-post-virtual-tours-to-redfin/
https://www.cnbc.com/2020/03/30/coronavirus-fallout-virtual-and-solo-home-touring-soars.html
https://www.zenplace.com/
https://itsudemo-n.jp/

07 チャットEC

https://www.voguebusiness.com/consumers/the-rise-of-squad-shopping-online-with-friends

08 貸切ショッピング

https://www.my-jewellery.com/en/
https://delingerieboetiek.nl/
https://uk.westfield.com/stratfordcity/personal-shopping-at-westfield-stratford

09 玩具サブスク

https://whirli.com/

PART 3

01 Zoom演劇

https://www.schauspiel-leipzig.de

02 モノローグ芝居

https://www.bbc.co.uk/mediacentre/latestnews/2020/talking-heads

03 自宅ナイトクラブ

http://vent-tokyo.net/schedule/united-we-stream/

04 おうちイベント

https://www.eventsonline.dk

05 バーチャルマラソン

https://www.facebook.com/pg/virtualrun.dk/posts/
https://www.marathon.tokyo/en/events/rttm/

07 デジタルフェス

https://www.ticketmelon.com/whattheduckmusic/online-music-festival-top-hits-thailand
https://www.bangkokpost.com/life/arts-and-entertainment/1929044/fan-favourites
https://spaceshowermusic.com/news/111768/

08 フローティングシネマ

https://www.insider.com/paris-cinema-on-water-floating-movie-theater-boats-2020-7
https://www.timeout.com/news/paris-is-hosting-a-floating-movie-night-where-everyone-sits-in-boats-070720
https://news.nicovideo.jp/watch/nw7744803

09 つながる動画配信サービス

https://deadline.com/2020/07/charlize-theron-netflix-movie-the-old-guard-record-viewership-top-10-netflix-movies-1202988858/
https://www.netflixparty.com/

10 ゲームのリアル化

https://www.xbox.com/en-US/promotions/covid-19
https://wired.jp/2020/06/30/animal-crossing-businesses/?utm_source=20200708&utm_medium=email&utm_campaign=wired

11 バーチャルコミケ

https://www.v-market.work/v5/lp
https://www.comic.v-market.work/

13 宇宙旅行

https://www.spaceperspective.com/

PART 4

01 コース料理デリバリー

https://www.cooklikeachef.nl/

04 生鮮品の新調達法

https://www.burpee.com/
https://extension.oregonstate.edu/mg
https://gorillas.io/en

05 アーバンガーデニング

https://www.aerogarden.com/

06 スローライフ動画配信

https://weibo.com/mianyangdanshen?is_all=1
https://www.sohu.com/a/423826012_100193102
https://www.youtube.com/results?search_query=%E6%9D%8E%E5%AD%90%E6%9F%92
https://www.youtube.com/channel/UCMWuA3HeWpYUcEpxyjGN3-Q/videos

07 臨機応変レストラン

https://forbesjapan.com/articles/detail/34806/2/1/1
https://noma.dk/
https://poplburger.com/
https://www.dezeen.com/2020/12/18/popl-burger-restaurant-noma-spacon-x-e15/

08 オンラインバー

https://www.brewdog.com/onlinebar

09 車中ディナー

http://montimonaco.de/
https://mailchi.mp/montimonaco.de/monti-monaco-news-dinner-in-the-car
https://www.instagram.com/montimonaco/

10 貸切宿泊

https://www.hoshinoresorts.com/information/release/2020/01/80480.html

11 聴くコンテンツ

https://equalparts.com/
https://open.spotify.com/artist/3Pgf1q6g0ci22sQRaYyleV
https://www.overdrive.com/apps/libby/

12 動画配信×専用ルームウェア

https://www.dailytelegraph.com.au/entertainment/television/tahnee-atkinson-helps-launch-binge-and-the-iconics-new-inactivewear-clothing-line/news-story/951dbdfc3cc8c676d9a76d2416ee517e

13 庭消費

https://www.thisismoney.co.uk/money/news/article-8414201/Hot-tub-sales-rise-1-000-Britons-enjoy-hot-weather.html

14 非接触型ギフト

https://bloomeelife.com/?utm_source=google&utm_medium=cpc&utm_campaign=search&gclid=EAIaIQobChMI_d3fq8XK7gIVzq6WCh2GGQHNEAAYASAAEgKdUvD_BwE
https://flowr.is/

16 新ノマド族

https://www.kibbo.com/pricing

PART 5

01 感染防止テクノロジー

https://mp.weixin.qq.com/s/WwQw4KX1F_pMhyrJb6RNJA

02 リアルタイム混雑情報

https://covid19.unerry.jp/

03 デジタル配給制

https://signal.diamond.jp/articles/-/292

04 ファクト公開

https://covidtracker.5lab.co/
https://www.bangkokpost.com/thailand/general/1878415/local-online-virus-tracker-a-big-hit
https://covid19.workpointnews.com/

PART 6

01 緊急社会貢献

https://melitta-group.com/en/Melitta-starts-production-of-millions-of-face-masks-3661.html

03 クリック&コレクト

https://www.statista.com/statistics/1132001/click-and-collect-retail-sales-us/

04 寄付運営

https://www.elmwoodparkzoo.org/giraffeathon/
https://www.facebook.com/EPZoo/

05 社員シェア

https://bae.dentsutec.co.jp/articles/lifestyle-china/
https://www.jk.cn/hl/detail/6370852

06 デリバリー革命

https://www.brandbuffet.in.th/2020/06/grab-loves-thais-project/
https://www.bangkokpost.com/business/1939304/grab-helps-fruit-farmers#:~:text=Grab%20Thailand%2C%20the%20local%20unit,marketing%20head%20of%20Grab%20Thailand.
https://www.thansettakij.com/content/tech/439317

PART 7

01 隣人ボランティア

https://www.independentliving.co.uk/advice/covid-19-mutual-aid-uk/

03 ローカルEC

https://www.slowshoppingspain.com/

04 サブスク野菜

https://communitysupportedagriculture.org.uk/what-is-csa/types-of-csa/
https://www.localharvest.org/csa/
https://www.7x7.com/csa-box-deliveries-san-francisco-bay-area-2645896933/kendall-jackson-wine-estate-and-gardens

05 二重払いで貧困救済

https://es-la.facebook.com/NewNormalPostCovid19/posts/128669132153175/
https://www.coldiretti.it/

06 窓際交流

https://www.yahoo.com/lifestyle/neighborhood-bear-hunts-occupy-kids-085822811.html

07 新ナイトスポット

https://www.alibaba.co.jp/service/fliggy/

08 社会貢献型店舗

https://news.nike.com/news/nike-rise-retail-concept
https://www.blackandmobile.com/

10 新しい都市設計

https://www.tpl.org/10minutewalk

ライフスタイル・リサーチャー®

https://www.tenace.co.jp/

アフターコロナのニュービジネス大全

発行日　2021年7月20日　第1刷

Author　原田曜平　小祝誉士夫

Book Designer　小口翔平＋三沢稜（tobufune）　装丁
小林祐司　本文・DTP

Publication　株式会社ディスカヴァー・トゥエンティワン
〒102-0093　東京都千代田区平河町2-16-1 平河町森タワー11F
TEL　03-3237-8321（代表）03-3237-8345（営業）／ FAX　03-3237-8323
http://www.d21.co.jp

Publisher　谷口奈緒美
Editor　千葉正幸　（編集協力：高橋学）

Store Sales Company
梅本翔太　飯田智樹　古矢薫　青木翔平　青木涼馬　越智佳南子　小山怜那　川本寛子
佐竹祐哉　佐藤淳基　副島杏南　竹内大貴　津野主揮　中西花　野村美空　廣内悠理　井澤徳子
藤井かおり　藤井多穂子　町田加奈子

Online Sales Company
三輪真也　榊原僚　佐藤昌幸　磯部隆　伊東佑真　大崎双葉　川島理　高橋雛乃　滝口景太郎
宮田有利子　八木眸　小田孝文　高原未来子　石橋佐知子

Product Company
大山聡子　大竹朝子　小関勝則　千葉正幸　原典宏　藤田浩芳　榎本明日香　王廳　小田木もも
倉田華　佐々木玲奈　佐藤サラ圭　志摩麻衣　杉田彰子　辰巳佳衣　谷中卓　橋本莉奈　牧野類
三谷祐一　元木優子　安永姫菜　山中麻吏　渡辺基志　安達正　小石亜季
伊藤香　葛目美枝子　鈴木洋子　畑野衣見

Business Solution Company
蛯原昇　志摩晃司　早水真吾　安永智洋　野﨑竜海　野中保奈美　野村美紀　羽地夕夏　林秀樹
三角真穂　南健一　松ノ下直輝　村尾純司

Ebook Company
松原史与志　中島俊平　越野志絵良　斎藤悠人　庄司知世　西川なつか　中澤泰宏　俵敬子

Corporate Design Group
大星多聞　堀部直人　村松伸哉　岡村浩明　井筒浩　井上竜之介　奥田千晶　田中亜紀　福永友紀
山田諭志　池田望　石光まゆ子　齋藤朋子　竹村あゆみ　福田章平　丸山香織　宮崎陽子
阿知波淳平　石川武蔵　岩城萌花　内堀瑞穂　大竹美和　小林雅治　関紗也乃　高田彩菜　巽菜香
田中真悠　田山礼真　玉井里奈　常角洋　永尾祐人　中島魁星　平池輝　星明里　松川実夏
水家彩花　森脇隆登

Proofreader　株式会社T&K
Printing　日経印刷株式会社

ISBN978-4-7993-2743-2